Moctezuma

GRANDES MEXICANOS ILUSTRES

MOCTEZUMA

Juan Gallardo Muñoz

DASTIN, S.L.

© DASTIN, S.L.
Polígono Industrial Európolis, calle M, 9
28230 Las Rozas - Madrid (España)
Tel: + (34) 916 375 254
Fax: + (34) 916 361 256
e-mail: info@dastin.es
www.dastin.es

I.S.B.N.: 84-492-0317-1
Depósito legal: M-15.900-2003
Coordinación de la colección: Raquel Gómez

Impreso en España - Printed in Spain

«... en la cual hay muy grandes ciudades y de ma-
ravillosos edificios y de grandes tratos y riquezas,
entre las cuales hay una, más maravillosa y rica
que todas, llamada Tenustitlán, que está, por ma-
ravilloso arte, edificada sobre una grande laguna;
de la cual ciudad y provincia es rey un grandísimo
señor llamado Moctezuma...»

Hernán Cortés,

Carta-relación al emperador Carlos V, a 30 de octubre de 1520.

Prólogo

— Hacia un nuevo mundo —

AQUELLOS hombres que abandonaban las costas europeas, en busca de nuevos mundos, no podían sospechar que iban a encontrarse en el final de su camino con civilizaciones insospechadas y con pueblos que ni en sueños podían imaginar.

Los conquistadores eran totalmente ajenos a que no se iban a tropezar con salvajes sin civilizar o con tribus primitivas e incultas, sino ni más ni menos que con toda una serie de culturas y de sistemas de vida y de gobierno como era imposible sospechar. Cierto que ello iba a producir el inevitable choque que provocan, sobre todo, las intolerancias religiosas, las ambiciones y los prejuicios. Y, con ello, pueblos maravillosos y asombrosos imperios basados muchas veces en conocimientos muy superiores a los de los propios viajeros que pretendían colonizar aquellas lejanas tierras, iban a sellar su infortunado destino, tan injusto como inexorable.

En Chile, las selvas amazónicas y el Altiplano de Bolivia al este, partiendo desde el Ecuador al norte, se extendía el imperio inca, que iba a tener como destructor enemigo a un español, Francisco Pizarro.

En México, era el nuevo imperio azteca, constituido por oleadas de pueblos amerindios nahuas, de lengua *náhuatl* allí llegados anteriormente, el que se había formado en el siglo XIII, y al que otro conquistador español, extremeño como el anterior, y tan ambicioso y falto de escrúpulos como aquél, se iba a encargar de exterminar, con ayuda de otros imponderables, en gran parte sobrevenidos por la propia conquista. Éste sería Hernán Cortés, un hidalgo de Medellín, Badajoz —Pizarro era de Trujillo, Cáceres—, quien, pese a su condición de hidalgo, su buena educación y nivel cultural, era tan intrigante, ávido de poder y carente de todo escrúpulo como sus compañeros de conquista.

Tal vez no sea del todo justo atribuir las culpas del fin de esos imperios precolombinos —o culturas prehispánicas, como también se les llama— a la tarea destructiva de los conquistadores, pero sí que la mayor parte de culpabilidad les alcanza a todos ellos, por anteponer prejuicios, intolerancias religiosas y, sobre todo, ansias de poder y de riquezas a cualquier otro impulso que hubiera podido preservar a aquellos pueblos de su destrucción final.

Vamos a hablar aquí del llamado «Pueblo del Sol» o imperio azteca, porque de él fue rey Moctezuma II, el hombre que tuvo que enfrentarse a Cortés por caprichos del destino y de la Historia. Y aunque hubo otros reyes aztecas, hasta terminar con Cuauthémoc, lo cierto es que fue Moctezuma quien pasó a la posteridad por una serie de circunstancias que veremos a lo largo de su vida y de la de su pueblo, tan estrechamente unidas en un mismo sino fatal.

Serán muchas las ocasiones en que tengamos también que referirnos a los conquistadores españoles y a Cortés, pero ello resulta inevitable, porque también ellos han quedado indeleblemente asociados con el esplendor y ocaso de los aztecas, para infortunio de este asombroso pueblo y de sus sueños de considerarse los elegidos para salvar y dominar el mundo. Y porque no se puede hablar de Moctezuma sin hacer forzosas alusiones al que iba a ser su enemigo, aunque lo cierto es que fue otro español, Pedro de Alvarado, quien, en ausencia de Cortés, desató la tragedia final, al exterminar ferozmente a lo mejor de la nobleza azteca en una serie de actos de crueldad inconcebibles que enfurecerían al propio Cortés y, sobre todo, a la población nativa, provocando el desastre.

En fin, son muchos los matices y muchas las facetas que se pueden analizar y estudiar en el contorno de Moctezuma, a la vez que repasamos su propia personalidad, tan ligada a sus propias creencias religiosas y a su sometimiento a lo que él consideraba imposiciones de los dioses.

Hoy en día, el pueblo mexicano tiene el legítimo orgullo de saberse descendiente de aquel altivo pasado azteca, y con toda la razón del mundo. Traspasando las inexorables fronteras del tiempo, el mexicano se siente cerca de aquellos gloriosos antepasados, y le duele en el alma que la traición, la perfidia y la codicia fueran, por encima de todo, las que hundieran para siempre al pueblo antiguo, del que tanto se enorgullecen.

«En tanto permanezca el mundo, no acabará la fama y la gloria de México-Tenochtitlán», puede leerse en un monumento azteca del Museo Nacional de Antropología e historia de México, entre la muestra de arte y cultura precolombinos más grande del planeta.

Esa frase encierra el verdadero sentimiento de los mexicanos hacia sus antecesores de los siglos XIII y XIV. Eso es algo que la Conquista no pudo impedir, pese a sus desmanes y atropellos, pese al expolio de riquezas y al exterminio genocida de unos pueblos que llegaron a pensar, equivocadamente, que aquellos hombres de brillantes corazas y relucientes cascos de metal eran enviados de los dioses, ya profetizados por éstos. Gente de piel muy blanca, rubios en muchos casos, y portando consigo un animal jamás visto en aquellas tierras —el caballo—, fueron, para el sencillo entendimiento de los pueblos precolombinos, auténticas criaturas llegadas por voluntad de dioses como el Quetzalcóatl azteca.

Ellos, para su desgracias, no pudieron ni supieron comprender que abrían sus puertas a un enemigo que no iba a tener clemencia de ellos, llegado el momento, arrastrado por sus pasiones, sus intrigas y sus fanatismos religiosos, cuando no por su desmedido afán de riquezas.

El primero en no darse cuenta de ello, evidentemente, fue el propio Moctezuma, a quien sin embargo podemos ver, a través de las cartas que dejó escritas Cortés a su emperador, Carlos V, que admiraba profundamente el extremeño.

Es por ello que, pese a ser culpable de muchas cosas y no ser en ningún momento nuestra intención defender a personaje tan poco claro y tan sinuoso como Cortés, estemos más de acuerdo con la teoría más extendida, que exculpa de responsabilidad al conquistador español en la muerte de Moctezuma, que muchos historiadores imparciales atribuyen a sus propios súbditos, como en su momento veremos, y no a obra directa del propio Cortés.

Ello no exime a él ni a ninguno de sus subordinados y compañeros de armas de la gran responsabilidad que, ante los hombres y ante la Historia, corresponde al hidalgo de Medellín y a otros conquistadores españoles del derrumbamiento final de aquel imperio majestuoso, tal vez demasiado fatalista en sus creencias para sobrevivir a los avatares del destino.

Pero ya nada puede hacerse por cambiar la Historia, y sólo nos corresponde la tarea de revivirla en la imaginación a través de cuanto nos queda de aquella civilización asombrosa, intentando movernos por entre sus monumentos, ídolos y recuerdos, pero sobre todo analizando la figura y la personalidad de quien fue su máximo emperador y marcó el momento cumbre del esplendor de su pueblo: Moctezuma II, el último gran emperador azteca, el hombre destinado a vivir la dolorosa paradoja de ver el más alto pináculo de gloria para su raza... y también el inicio de su decadencia y desaparición.

Se ha dicho por parte de algunos historiadores que, de haber sido Moctezuma menos fatalista y más práctico, o también menos tolerante y más enérgico y combativo, las cosas no hubieran sido como fueron. Pero hay que situarse en su propio contexto histórico, en su momento concreto, y en las propias creencias de él y de sus súbditos, para comprender que las cosas no podían ser de otro modo, para desgracia de ellos.

Comentado todo esto como un pórtico a nuestro trabajo, pasemos ya a revivir paso a paso la historia de Moctezuma II y, al mismo tiempo, la del imperio que él llegó a conducir a su mayor nivel de esplendor.

PRIMERA PARTE
Los Aztecas

CAPÍTULO PRIMERO

— AMÉRICA PRECOLOMBINA —

ANTES de que en el siglo XV llegase Cristóbal Colón a América, fueron numerosas las culturas que surgieron y se desarrollaron en aquellas tierras, originadas por los movimientos y desplazamientos de pueblos y razas autóctonos a través de todo el continente.

Así, tenemos que, mientras los esquimales se aposentaban en las regiones más al norte, los fueguinos formaban sus propias comunidades en la Tierra del Fuego. Eran como un asombroso mosaico de culturas diversas que, muy lejos de la Europa de entonces, vivían por sí mismas su nacimiento, su esplendor y, en ocasiones, su ocaso final.

Sería interminable citar algunas de esas tribus o razas a lo largo y ancho de la geografía americana, aunque se nos vienen a la mente, por ejemplo, pueblos como los atapascos, los sioux, los olmecas, los apaches, los teotihuacanos, los mixtecas, toltecas, incas, mayas, aztecas, araucanos, guaraníes, chibchas y muchos más.

A todas ellas se las califica por el común denominador de culturas prehispánicas o precolombinas, que de ambas formas son definidas normalmente. En aquel variopinto conjunto de comunidades previas a la llegada del genovés a tierras americanas, caben destacar como primordiales y de mucha mayor importancia que todas las demás las civilizaciones que ocuparon determinadas zonas del continente, como fue la inca en la región andina y la maya y azteca en la América Central.

Existen las más diversas teorías sobre el origen inicial de todas aquellas comunidades de indígenas, los *amerindios* según la definición genérica que recibieron: desde aquella que atribuye sus inicios a un origen oceánico, concretamente melanesio, según la cual habrían arribado a tierras americanas en canoas desde las islas del Pacífico, hasta otra teoría que se inclina por un origen australiano de aquellas razas, llegadas a través de la Antártida durante la última glaciación.

No obstante, la tesis más aceptada comúnmente por los antropólogos es la que se inclina por la posibilidad de que los primeros amerindios llegasen del Asia central, penetrando en tierras americanas a través del estrecho de Bering y de Alaska.

Fuera como fuera, esos pueblos crecieron y se desarrollaron en el continente americano, dando lugar a lo largo de los siglos a verdaderas civilizaciones de sorprendente desarrollo, que han dejado vestigios tan admirables como las esculturas de los olmecas, auténticos padres de las culturas mesoamericanas, y que, asentados junto al golfo de México, dieron muestras de una maravillosa creatividad técnica, artística e incluso religiosa.

Por otro lado, los zapotecas dejaron también huellas indelebles de su paso por el mundo, creando una cultura entre los años 100 a 800 en Oaxaca, donde dejaron el arte de sus esculturas en barro y de sus urnas funerarias.

La ciudad más importante de todo ese largo período precolombino fue erigida entre los años 250 y 150 antes de Cristo, nada menos, y se llamó Teotihuacán, o «ciudad de los dioses». Cuando alcanzó su máximo esplendor esta fabulosa metrópoli fue entre los años 300 a 650, en que llegó a tener más de doscientos mil habitantes. Por entonces, sin lugar a dudas, eso la convertía en la mayor ciudad del mundo, aunque fuese desconocida fuera de la propia América.

En ella se elevó el conjunto monumental más asombroso de su tiempo, la llamada «pirámide del Sol», que estaba formada por una enorme plataforma de unos 225 metros de lado, de forma cuadrada, escalonada en cuatro niveles hasta alcanzar más de sesenta metros de altura. Aunque pudiera parecer destinado a monumento funerario, como las pirámides egipcias, nada más lejos de la realidad. La «pirámide del Sol» era el sostén de un templo destinado a ofrecer sacrificios humanos a los dioses. Sería mucho siglos después cuando los aztecas convirtieran ese lugar sagrado en uno de sus principales centros de cultura.

También se tiene conocimiento de la cultura maya, desarrollada desde el siglo III hasta el XVI, aunque no alcanzó realmente su mayor auge hasta el siglo XII, en que se extendía a través de Belice, Guatemala, Honduras y El Salvador, juntamente con el sudeste de México. Fue, posiblemente, la mayor y principal civilización precolombina, que en los siglos VII y VIII conseguía ya un esplendor indiscutible, levantando grandes ciudades como Copán, Tikal o Palenque, que eran como ciudades-estado. Existía en ellas una casta sacerdotal predominante —es curiosa la hegemonía de los religiosos en muchas civilizaciones, tanto antiguas como modernas—, y se alzaban en esas urbes espléndidos palacios, plataformas para el culto a los dioses y, como en otras muchas civilizaciones, monumentos en forma de pirámide, casi siempre para culto de sus dioses.

Desgraciadamente, la civilización maya, al revés de otras, se descompuso a causa de sus propias luchas internas, que disgregaron su poder y facilitaron más tarde la conquista española.

Otra de las grandes civilizaciones prehispánicas, la incaica, tuvo sus inicios reales en el siglo XIII, y tuvo como primer rey a un personaje mítico, el gran Manco Cápac I. Su capital era Cuzco, en pleno corazón andino del Perú, y fue un imperio autoritario y teocrático, que se impuso fácilmente a todos sus vecinos, a quienes dominó y sometió sin gran esfuerzo.

Los incas llegaron a la cima de su grandeza durante el reinado de otro gran monarca, Túpac Inca Yupanqui, entre 1471 y 1493. Ampliaron tanto sus territorios y dominios que se desmembraron con rapidez, sacudidos por luchas intestinas que un conquistador tan poco escrupuloso y tan desaprensivo como Francisco Pizarro aprovechó en su beneficio para adueñarse con mayor facilidad de sus dominios.

Es evidente, por tanto, que la llegada de los conquistadores españoles a tierras americanas no hizo sino precipitar el derrumbamiento previsible de grandes culturas como la maya o la inca, heridas ya de por sí a causa de sus graves disensiones internas.

Pero existía una tercera civilización que no solamente tenía en ese momento problemas internos, sino que estaba alcanzando el cenit de su propia gloria, con sólo cien años de vida, y ésa era la azteca. De no ser por la interferencia de la conquista en su desarrollo, sólo Dios sabe adónde hubiera podido llegar, ya que se hallaba prácticamente en sus inicios y para entonces ya había conseguido, durante el reinado de Ahuitzotl, entre 1486 y 1502, ser el imperio más poderoso y de mayor dominio territorial de su tiempo, con más de diez millones de habitantes.

En torno a sus principales ciudades-estado, Tenochtitlán y las vecinas Tlacopan y Texcoco, se desarrollaba una expansión que llevó a los aztecas desde el norte, en Tamaulipas, a la costa oeste, Acapulco, y hasta Guatemala al sur.

A los aztecas sí que les derrumbó su poderío y su grandeza, en el mejor de los momentos, la inoportuna llegada de las naves españolas a sus costas, capitaneadas por Hernán Cortés, el hombre que iba a terminar irremisiblemente con aquella gran civilización.

La idea de su entonces emperador, Moctezuma II, era la construcción de un grande y poderoso imperio azteca, que hubiera llegado a lo más alto, sin duda alguna, de no ser porque el destino puso en su camino a los conquistadores.

¿Fue Moctezuma responsable involuntario, al menos en parte, del hundimiento final de su proyecto imperialista? ¿Lo fueron sus enemigos españoles?

Evidentemente, hubo de todo un poco. Uno por falta de combatividad y exceso de confianza, otros por ambición, codicia e intolerancia, puede decirse que ambas partes constituyeron al fin de un imperio que pudo haber sido lo más grande de toda la historia americana. Y que, pese a todo, sigue siendo todavía admiración del mundo por los logros de aquella civilización asombrosamente desarrollada.

El fatalismo azteca, el pensar que todo estaba dictado previamente por los dioses y que era inútil oponerse a sus designios, fue sin duda el mejor aliado que Cortés encontró en sus adversarios cuando llegó el momento de luchar.

Después, cuando ya era tarde, los aztecas supieron batirse como leones y hasta llegar a vencer a su enemigo en el campo de batalla, como lo demuestra fehacientemente la llamada *Noche Triste*, de tan penoso recuerdo para Cortés y para los españoles. Después, les faltó saber dar el golpe de gracia a un ejército derrotado y maltrecho. En ese momento supremo, en que todo parecía perdido para los extranjeros, surgió el indudable ingenio y audacia de Cortés, para convertir en victoria definitiva lo que era una derrota sin paliativos.

Pero todo ese ingenio y ese valor hubieran sido inútiles de haberse tropezado con unos adversarios más crueles y feroces que los aztecas. Ellos pensaron que su valentía y su arrojo eran suficientes para triunfar, y cometieron el mayor de los errores imaginables: dar por muerto al que sólo estaba malherido.

Ya se sabe que no hay peor fiera que aquella que está herida, y ésa fue la simple estratagema de Cortés al verse hundido y acosado. Algo que los aztecas, siempre fatalistas, no supieron prever, imaginando acaso que los dioses les sonreían con su mejor cara y que eso era indicio de victoria final.

Hubo otros muchos factores en el resultado definitivo de esa guerra entre dos civilizaciones, como el llamado «general Viruela» o como el papel desempeñado por la india maya Malinalli («Hierba»), más conocida por su patronímico cristiano de Marina. Pero de eso hablaremos cuando llegue el momento oportuno y se analicen más a fondo los detalles del enfrentamiento Moctezuma-Cortés o aztecas-españoles.

Sigamos refiriéndonos a las culturas precolombinas, como inevitable prólogo para comprender mejor a la propia cultura azteca, que es la que afecta a la vida y obra de Moctezuma II como rey-emperador de aquella civilización, única por muchos conceptos.

Existía entre las diversas culturas mesoamericanas la llamada «creencia de los cinco soles», que alude a la existencia de cuatro mundos destruidos por sucesivos cataclismos (a los que se denominaron «tigre», «viento», «lluvia» y «agua»), que luego restauraría el dios creador. El ciclo debía completarse con otra nueva catástrofe que iba a suponer el colapso del quinto sol, que sería el que ahora tenemos.

Esa leyenda, sin embargo, iba a originar en la civilización azteca, que se creía la elegida, una serie de sangrientas decisiones, como veremos en otro momento, en forma de sacrificios humanos a uno de sus dioses, cosa ésta que horrorizó a los españoles —¿quién les iba a decir a éstos que luego uno de sus capitanes, Pedro de Alvarado, iba a dejar en mantillas la pretendida crueldad azteca con una masacre cien veces peor?— y que ha dejado en la Historia el concepto de que la azteca era una raza cruel y sanguinaria, no del todo justo.

Es tan variada y fascinante la propia historia y los hechos del imperio de Tenochtitlán, que será mejor que analicemos con más detalle sus orígenes y sus rasgos más importantes y notables, para hacernos una idea exacta del mundo de Moctezuma y de su pueblo, a lo largo de su breve e intensa historia.

Capítulo II

— Historia de los aztecas —

INICIALMENTE, fue una tribu de pasado bastante oscuro y poco conocido, que parece tener su origen en Aztlán, sitio que no es posible localizar en mapa alguno, por antiguo que éste sea. Existe la teoría de algunos historiadores acerca de la posibilidad de que hubiera estado ubicado en algún lugar de la zona noroeste de México, mas lo cierto es que, si hubiera sido así, jamás se encontró prueba alguno que lo demostrara, por lo que no deja de ser una posibilidad apuntada por determinados investigadores del pasado azteca.

Al parecer, desde ese punto desconocido, se inició la marcha, aproximadamente en el año 1167 o 1168, de una tribu de ignorado nombre original, a quien al parecer sus dioses habían prometido llegar a la tierra elegida para ellos. Resulta curiosa la coincidencia de circunstancias con la historia de la tierra prometida al pueblo de Israel, elegido de Dios.

También en este caso, parece ser que ellos pensaban que era designio de sus dioses elegirles como su pueblo predilecto y guiarles a aquella tierra que sería suya. De entre sus dioses, existía un dios superior, llamado Huitzilopochtli, que era el encargado de guiar al pueblo nómada hasta esa tierra prometida.

Cuenta la leyenda que ese dios, en forma de águila, volaba sobre la tribu en movimiento, y que ésta seguía adelante, esperando la señal que su dios había de darle para marcar el lugar de su destino.

17

La señal tenía que ser cuando el águila devorara a una serpiente, posada sobre un nopal que crecía encima de una roca. El nombre de la tribu, aplicado por sus propios miembros, era el de *mexica*, y la denominación posterior de «azteca» fue más bien idea de los europeos, que prefirieron ese nombre, basándose en el de Aztlán, su lugar de origen.

Cuando el hecho tuvo lugar, y el águila devoró a la serpiente, posada sobre el nopal, supieron que habían alcanzado la tierra prometida. Por ello, hoy en día, esa imagen sigue siendo el símbolo de la tierra y del pueblo mexicanos. Naturalmente, constituye solamente parte de la leyenda que envuelve al pueblo azteca, ya que está incluida en su mitología. Pero lo cierto es que este episodio, real o no, es lo único que se sabe acerca del origen del pueblo azteca y de su posterior imperio.

Según parece, los códices sobre su auténtico origen e historia fueron destruidos durante el siglo XV por lo propios aztecas, que de ese modo destruyeron la historia sobre su verdadero origen y sus raíces, al parecer de forma intencionada. ¿Propósito real de esta acción? Probablemente borrar la verdad de su pasado, para sustituirla por una leyenda que reforzase su creencia de ser un pueblo escogido por sus divinidades para ser el más fuerte y más grande de todos, y llegar a dominar el mundo.

Pero se supone que la cruda realidad, fábulas al margen, fue que los inicios de aquella tribu debieron ser semejantes a los de las tribus chichimecas, pueblos cazadores que ocupaban por entonces la América Central y que vagaban muy alejados de otras civilizaciones más florecientes del centro de México, puesto que a los chichimecas se les consideraba pueblos bárbaros e incultos.

Sea como sea, aquella oscura tribu de ignoto pasado demostró que no era tan bárbara como se la suponía, o realmente había algo de cierto en su creencia de que los dioses los habían elegido para más grandes y trascendentes empresas. Porque lo cierto es que para entonces, cuando los mexicas lograron alcanzar el valle de México, ya otras tribus se hallaban en estas regiones, apostadas allí con mucha anterioridad a ellos, constituyendo ciudades que fueron fundadas previamente por los toltecas. Así, Huaxtepec y Tepoztlán eran dominadas por los tlahuicas, mientras que Texcoco era controlada por los acolhuas, los tlatepotzcas tenían como residencia las urbes de Huexotzinco y Tlaxcala, los chalcas alzaban su propia ciudad, Chalco, y por otro lado los tepanecas eran amos de otros lugares, como la ciudad de Tlacopan y la de Azcapotzalco.

Contra todas esas tribus y su poderío tendrían que enfrentarse sin remedio los nuevos moradores de la región, los mexicas, si querían sobrevivir en el futuro. Ya inicialmente tuvieron que conformarse con elegir como tierra suya la más dura e inhóspita, un espacio que nadie quería y que, por esa razón sin duda, permanecía desierto, una simple isla en medio del lago Texcoco, que era donde fue a posarse el águila, sujetando con su pico a la serpiente, encima del nopal y de la piedra.

Por tanto, estaba decidido por fuerzas superiores, si es que la leyenda se ajusta a la realidad, y allí se quedó la tribu, bautizando al lugar como Tenochtitlán, que en lengua náhuatl significaba «lugar de nopales y rocas». Aun así, como eran los últimos en llegar, no tuvieron más remedio que ser tributarios de otro pueblo, por entonces el más poderoso de la región, los tepanecas, que lo dominaban todo desde su ciudad-estado de Azcapotzalco. Era humillante para ellos tributar a aquella gente, después de creer tener derecho a establecerse allí por mandato divino, pero la fuerza estaba de lado de los tepanecas y no les quedó otra solución que aceptar esas condiciones.

Era el inicio de una dura etapa de lucha por la supervivencia, en una región que lo tenía todo menos generosa y próspera. Sobrevivir en una isla pantanosa, rodeados de un mar de agua salada, sin posibilidad alguna de desarrollar una agricultura adecuada, no era tarea fácil. Sus únicos recursos eran la caza de aves acuáticas, así como la pesca, que constituía toda su alimentación.

Pero supieron resistir esas adversidades con una enorme entereza y dignidad, curtiéndose poco a poco en tan duras circunstancias. Perseverantes, sin dejarse rendir nunca por la dura situación que les obligaba a vivir de ese modo, los mexicas siguieron adelante, logrando fundar otra ciudad, cercana a la suya original, a la que llamaron Tlatelolco, empezando así a ampliar su propio poder, aunque sin dejar de ser tributarios de los tepanecas.

Sin embargo, su revancha contra éstos se hallaba cercana. En 1358 habían erigido la nueva ciudad, adyacente a su inicial Tenochtitlán. Y en 1428, alcanzaba la denominada Triple Alianza, uniéndose a las ciudades de Tlacopan y Texcoco. En ese momento dejaban de ser tributarios de los altivos tepanecas, se independizaban ya totalmente como pueblo y se iniciaba lo que se denominarían Cien Años del Pueblo del Sol. Porque, a partir de ese momento, eran los mexicas los que tenían el máximo poder y autoridad.

Fueron sometiendo paulatinamente a todas las demás tribus vecinas, a medida que Tenochtitlán crecía y se engrandecía como una majestuosa ciudad-estado. En su avance y dominio de las demás tribus, llegaron incluso hasta la actual Guatemala, próximos ya a los dominios de la civilización maya. Desde el Atlántico hasta el Pacífico, todo iba siendo ocupado y dominado por la que en un principio fuera sometida y débil tribu errante en busca de la tierra prometida por sus dioses.

Pero el pueblo mexica, o azteca, si queremos darle el nombre por el que desde entonces se le ha conocido, vivía una constante paradoja entre su esplendor y un sentido fatalista de futuro, que les presagiaba una catástrofe final, cuando el actual sol se apagara —el quinto sol, según sus creencias— y todo desapareciera con él. Conforme a sus creencias, ellos, el pueblo azteca, eran los únicos capaces de demorar lo más posible ese funesto día, dando al sol la energía suficiente para seguir brillando en el cielo y dando vida al mundo.

Y ahí entra la faceta más cruel y sanguinaria de los aztecas, ya que el modo de dar fuerza y poderío al sol, según ellos y sus castas poderosas, con la religiosa al frente, era mediante sacrificios humanos.

La práctica de tales sacrificios, en lugares sagrados para ellos, llegó a hacerse tan abusiva, que con ocasión de grandes celebraciones, festividades o momentos de sequía o de calamidades naturales se recurría siempre a sacrificar vidas humanas a los dioses, incluso en número exagerado, ensangrentando los altares hasta límites estremecedores.

Aquí les entra a muchos historiadores la sospecha, quizá bien fundada, de que los dirigentes religiosos del reino azteca encontraron en esa bárbara práctica un modo de llevar las riendas del poder y de abusar de éste en cuantas ocasiones querían, sólo con recurrir a la excusa de que los dioses exigían sacrificios y más sacrificios.

Los gobernantes, casi siempre dominados por su clero —como ha sucedido desde que el mundo es mundo—, no tuvieron valor para oponerse a esa proliferación exhaustiva de derramamiento de sangre. Y la peor faceta en la fama de los aztecas creció con el tiempo, a medida que aumentaban esos rituales sanguinarios. Muy al contrario que en la civilización egipcia, pongamos por caso, sus pirámides se cubrieron de rojo por la sangre vertida en miles y miles de vidas sacrificadas mediante los ritos de su fe.

Lo cierto es que, a medida que se hacían más rutinarios esos sacrificios religiosos, los aztecas iban concediendo menos y menos valor a la vida humana, puesto que consideraban que el hombre no era sino una insignificante partícula en el cosmos, y no debía dudarse en sacrificarla por el bien común y por el buen funcionamiento de las reglas universales.

Se calcula que hasta unas quince mil personas podían llegar a ser sacrificadas anualmente en Tenochtitlán, cifra realmente aterradora si pensamos que la población total de la ciudad era como máximo de unos trescientos mil habitantes. Normalmente los sacrificados solían ser esclavos o prisioneros de guerra, aunque tampoco era extraño que se ofreciesen a ello, considerándolo todo un honor, los propios ciudadanos aztecas: singular «honor», evidentemente, el de ser acuchillado por los sacerdotes en el altar de sacrificios, pero ahí ya entra la creencia, el fanatismo religioso, inherente al ser humano desde el principio de los tiempos.

De todos estos sacrificios, vamos a prestar atención a uno de los más sangrientos, el realizado en honor del dios relacionado con el propio sol, llamado Huitzilopochtli. Consistía la ceremonia en abrir el pecho al sacrificado, extraerle el todavía palpitante corazón y depositarlo en una vasija ritual.

Como el calendario azteca tenía dieciocho meses, existía una fiesta mensual dedicada a los sacrificios, lo que elevaba a dieciocho las fechas designadas a tal fin a lo largo del año. Ello implicaba un número impresionante de tan horribles ceremonias.

Tras la ceremonia, los cadáveres de los sacrificados eran arrojados por las escaleras del templo, goteantes todas ellas de sangre, y en ocasiones se les decapitaba, para que el cráneo de la víctima sirviera para formar parte de un muro ritual dentro del templo, que recibía el nombre de *tzompantli*. A veces, los brazos y piernas de aquellos cuerpos eran repartidos entre los nobles aztecas, para su consumo, lo cual nos lleva al conocimiento sorprendente de que existía la antropofagia en el reino azteca, no se sabe si por la carencia de carnes en sus dietas o por formar parte de otro misterioso ritual.

Pero no todo era crueldad en esta civilización, como iremos viendo en nuestro recorrido por su cultura, aunque sean esos sacrificios terribles uno de los detalles que más han trascendido en su historia, dándoles la fama de crueles y despiadados de que han gozado por culpa de esos ritos religiosos, posiblemente impuestos desde un principio por los dirigentes de la fe azteca en unos dioses a los que los sacerdotes atribuían esa forma de crueldad ritual. Siempre le ha resultado muy cómodo al clero de todas las naciones y civilizaciones culpar a los dioses y divinidades de algo que ellos eran los encargados de ordenar y manipular como un medio más de poder y control sobre el pueblo llano, e incluso sobre los propios gobernantes.

Por ello insistimos en que sería del todo injusto quedarnos en la peor faceta de aquella civilización para tratar de juzgarles. Los aztecas ofrecieron al mundo asombrosos avances en terreno cultural, artístico, científico, e incluso en el ocio y en el deporte, por extraño que ello parezca, como veremos en su momento.

Desde que derrotaran a Azacapotzalco y los tepanecas, los originarios mexicas habían ido engrandeciendo y desarrollando su reino, con un auténtico sueño imperial detrás, solamente nublado por su fatalismo al pensar en un futuro adverso y caótico. Socialmente, es obvio que también se desarrollaron de forma admirable, llegando a crear un nuevo sistema de sociedad, digno de ser analizado.

Sus creencias religiosas se basaban especialmente en la adoración a una serie de divinidades, de entre todas las cuales sobresalía especialmente la de Quetzalcóatl, o «serpiente emplumada», uno de los dioses más conocidos de todo Mesoamérica, sin duda alguna. Se cree que el origen de su culto podría estar situado en

Xichicalco, Morelos, pero lo cierto es que casi todos los pueblos del antiplano mexicano, e incluso otras muchas religiones, han adorado a esta deidad.

Está considerada como la divinidad benéfica y civilizadora, el dios creador de la vida y responsable de la existencia del calendario y de productos para ellos tan fundamentales en su forma de vida como el maíz, el jade y el tejido. Se sostiene un curioso mito, mediante el cual se asegura que este dios arrebató el maíz a las hormigas, hasta entonces sus dueñas exclusivas, para poder así ofrecérselo a toda la humanidad.

Empezó siendo el dios supremo de los toltecas, tribu cuyo nombre en su lengua original es el de *náhuatl* o «maestros constructores». Este pueblo tenía su capital en Tula, y fueron los creadores de una espléndida civilización que floreció entre los siglos X a XIII. Se supone que de ella heredaron los aztecas muchos elementos de la suya propia, como el culto al sol, su calendario e incluso tal vez los propios sacrificios humanos.

Tras la adoración fundamental al dios Quetzalcóatl o «serpiente emplumada», venía la de otras deidades, como Tláloc, que encarnaba a la tierra, y que ellos representaban como un anciano, casado con una de las diosas de las flores, la de nombre Xochiquetzcal, y era para los aztecas el dios de la lluvia y el rayo, especialmente en anteriores pueblos que ya lo adoraban.

Tezcatlipoca es otro de los dioses aztecas, y significa «espejo humeante». Es la deidad de la noche y del cielo nocturno, omnipresente y regidor del destino. Un sacerdote denominado *huey tatloani* era su representante entre los humanos.

Opuesta al dios anterior, tenemos a la divinidad Huitzilopochtli, o «colibrí zurdo», que era el dios patrón de la tribu mexica y fundador del propio imperio de los aztecas. Divinidad de la guerra, se ocupaba de recoger la sangre de los sacrificios para con ella alimentar al sol.

También el dios Mictlantecuhtli era venerado por el pueblo. Su nombre significa «señor del Mictlan, o tierra de los muertos»), y era, como ese nombre da a entender, el dios de la muerte, de la oscuridad y del más allá e incluso de los inframundos. Tenía un equivalente femenino en la deidad llamada Mictecacihúatl.

Existían otras muchas divinidades en las creencias de este pueblo, pero ésas eran las más importantes de todas, y como puede hacerse uno una idea a la vista de las mencionadas, aquel pueblo, como el egipcio mucho antes, tenía deidades para casi todo lo que uno pudiera pensar, y a su culto se entregaban con fe ciega en sus poderes divinos.

Evidentemente, y como en los propios egipcios a que hemos aludido, su fe en el politeísmo era total, y su número de dioses, poco menos que infinito. Resulta curioso advertir que las civilizaciones, cuanto más avanzadas se nos mostraban en la antigüedad, tanto más crédulas eran en cuanto a las diversas divinidades a las que consagraban sus vidas, sus cosechas, sus acciones más nimias y, por supuesto, por encima de todo, su vida y su muerte.

Por ello resulta imprescindible, para estudiar su cultura, fijarse en sus creencias y cultos, porque la una no se entiende bien sin los otros. Puede decirse que la religión de aquellos pueblos formaba parte de su propio acervo cultural, y por ello nos hemos detenido a analizar el papel representado por los principales dioses del politeísmo azteca.

Los reyes de cualquiera de estas civilizaciones tampoco han sido nunca ajenos a las creencias populares, e incluso los más poderosos de la Historia, como Ramsés II en el Antiguo Egipto o como Moctezuma II en la América prehispánica, por seguir el paralelismo que hemos buscado entre una y otra civilización, encomendaron sus obras y su propio mandato a aquellos dioses en quienes confiaban ciegamente. A veces, incluso, demasiado ciegamente, como es el caso del propio Moctezuma.

Sólo Akenathón en Egipto osó enfrentarse al poder omnímodo de sus dioses, proclamando el monoteísmo, y así le fue en el empeño, teniendo que volver el país al politeísmo anterior, más que por la ira de los dioses despreciados, por la de sus servidores fieles y poderosos, los sacerdotes, que con la adoración a diferentes deidades no cabe duda de que medraban mucho mejor que con una sola.

Capítulo III

— La cultura azteca —

ANTES de entrar en el estudio biográfico y el análisis de la dimensión política y humana de Moctezuma II, sigamos nuestra ruta por el mundo azteca, porque, como sucede casi siempre, no se puede entender al uno sin el otro. Es decir, jamás comprenderíamos la personalidad y psicología del rey azteca sin situarnos previamente en su entorno histórico y racial, en su ambiente y en los modos y modas de su propio pueblo.

Aquel que estaba destinado a ser un imperio breve, desdichadamente efímero por factores ajenos a su propia trayectoria, fue a no dudar un gran imperio, que nadie sabe adónde hubiese sido capaz de llegar, de no cruzarse en su camino los imponderables, en forma de tropas extranjeras con espíritu de conquista.

Tras la demostración de su fuerza de ánimo para superar todas las adversidades iniciales y sobreponerse a ellas, desde el momento mismo en que, como los israelitas bíblicos, iniciaron su gran marcha hacia la tierra prometida, los mexicas, o futuros aztecas, fueron asentando no sólo sus raíces propias y su poderío creciente, sino también un modo diferente de entender la vida y de levantar los pueblos y las ciudades.

Lo que más sorprendería a los españoles cuando trabaron conocimiento con la cultura azteca, fue precisamente su amplitud y sus verdaderas dimensiones, sólo comparables con las del pueblo inca allá en el sur. Como sorprendente les resultó la forma en que giraba la vida de aquellas gentes, en torno a su ciudad-estado más representativa, que seguía siendo la ahora monumental y hermosa Tenochtitlán, levantada sobre la gran laguna.

Era allí donde se alojaba la cabeza del imperio, el llamado *huey tatloani* o «gran orador», que era para su pueblo el representante en la Tierra del dios del destino o Tezcatlipoca. Pero mientras los egipcios consideraban a sus reyes como seres divinos, los aztecas no daban trato alguno de divinidad a sus monarcas, pese a cuanto los veneraran y a todos los fastuosos ceremoniales y simbólicos homenajes que a ellos dedicaran.

Una de las normas en cuanto a sus reyes, era que éstos jamás debían tocar el suelo con sus pies, y por ello eran siempre transportados en literas. Tampoco nadie, en presencia de su rey, podía llevar calzado o levantar la vista, todo lo cual no deja de ser, en el fondo, un modo de rendir tributo a su rey casi de culto religioso.

Tras la figura del rey existía un entramado social bastante complejo, totalmente jerarquizado. Existía un consejo encargado de elegir de forma vitalicia a su rey, y a la familia de éste se la denominaba *teccalli* (o «casa señorial»). Todos sus miembros eran respetados y venerados como el propio monarca. Y ya después, seguía toda una serie de castas y de niveles sociales diversos, perfectamente planificados.

Así, después de la familia real seguían los nobles, los dirigentes y los sacerdotes, así como sus respectivas familias. Muchos altos cargos de esa estructura social llegaban a ellos por nacimiento o por simples méritos de guerra, un poco a la usanza de los títulos nobiliarios castellanos, pongamos por caso.

Pero, naturalmente, la verdadera base de aquella sociedad no eran las altas castas, sino los de abajo, el pueblo llano y sencillo, encargado de laborar por la prosperidad del sistema, como ha sucedido y sucederá siempre. El pueblo azteca era esencialmente artesano y campesino, y a medida que ocupaban nuevas tierras, ellos se encargaban de su cultivo. A esa amplia población trabajadora se la denominaba *macehualtin*, y a su vez se dividía en *calpulli*, algo así como unos clanes que ocupaban las tierras en forma de comunas, si bien para ello debían de abonar un impuesto a los recaudadores del tesoro, sin el cual no les era posible hacerse con ninguna propiedad que trabajar o explotar.

De aquella clase obrera era de donde se nutría también, inevitablemente, la rama militar azteca. Se les llamaba a filas por turnos y con periodicidad, momento en el que los señalados para incorporarse al ejército se veían obligados a dejar sus tierras y labores en manos de otros miembros del clan, ya que, muy hábilmente, el abandono de cualquier tierra por parte de sus trabajadores estaba castigado con la entrega de esas tierras a otra persona que se cuidara de ellas.

De este modo, al tiempo que se nutrían las filas del ejército azteca adecuadamente, no se desatendía el cuidado de la tierra y la producción agrícola necesaria.

Como se ve, la sociedad azteca no tenía nada de desorganizada ni de improvisación, sino todo lo contrario. Puede decirse que muchas de sus normas podrían ser válidas incluso actualmente, y que la legislación estaba perfectamente calculada para que todos y cada uno cumplieran la misión encomendada.

Y como sucede siempre, así mismo existían los más inferiores y desheredados de la fortuna, que eran los encargados de trabajar la tierra para los clanes de propietarios. A esos trabajadores denominados «braceros» —*mayeque* en lengua azteca— les tocaba o bien trabajar para un determinado patrón, o tener que desplazarse a otras propiedades para servir a los nobles.

Pero aún había, debajo de esta clase social tan laboriosa y sometida, una última mucho más explotada y sin apenas derechos, como eran los *tlacotin* o esclavos, condición extrema en la que la gente podía caer a causa de deudas incluso, aunque ésos, al menos, tenían la posibilidad de salir de su extrema posición abonando esas deudas, cosa por desgracia no siempre posible para todos los que vivían tan dura experiencia.

Cuando menos, los aztecas tenían una ley lo suficientemente justa como para no convertir la esclavitud en una casta concreta, puesto que ésta nunca era hereditaria, y los hijos de los esclavos tenían derecho a nacer libres, cosa que no se dio por desgracia en otras culturas europeas y en diferentes épocas y latitudes.

El pueblo azteca no era particularmente fiero ni agresivo, pero sus duras condiciones de vida les había obligado a basar su supervivencia en la fuerza y, del mismo modo que ellos fueran en un principio dominados por el más fuerte, tuvieron que pasar, a su vez, a ser ellos ahora los más fuertes, si querían prosperar y ser respetados y temidos.

No es de extrañar, por tanto, que prestaran a la guerra tanto o más interés que a la propia religión, aunque ambas ramas poseían parecida influencia en su vida cotidiana. Adorar a sus dioses era básico en la civilización azteca, pero también lo era defender sus posesiones y ampliarlas con nuevas conquistas, por lo que necesitaban contar con fuerzas armadas y bien organizadas, que además de ocupar nuevas tierras, también lograran capturar numerosos prisioneros, ya que éstos, a su vez, se convertían en esclavos y prestaban con ello un gran servicio a la comunidad, pues así tenían mano de obra abundante y gratuita. Cuanto mayor fuera el número de prisioneros hecho a sus enemigos en el campo de batalla, y cuanto más fuertes fueran éstos, tanto mejor para los vencedores.

Claro que el hecho de ser esclavo en la sociedad azteca, aparte las duras tareas, no era circunstancia nada envidiable, teniendo en cuenta, como ya hemos visto, que de esta casta inferior era de donde solían surgir las víctimas destinadas a los sacrificios rituales, y no precisamente por voluntad propia ni por gusto de los elegidos, como podía ser el caso de un ciudadano que se ofreciese voluntariamente.

Dada esa preponderancia de los soldados en la vida de aquel pueblo, no resulta extraño que el sueño de cualquier niño fuese convertirse de mayor en guerrero, y el afán de muchas mujeres, tener herederos varones que dar a las tropas de su gente.

Hablando de las mujeres aztecas, se puede decir de ellas que, como en muchas comunidades antiguas, y no tan antiguas, su papel era meramente doméstico, aunque pudieran participar, y de hecho lo hacían, en toda una serie de festivales públicos, e incluso de rituales, junto con los hombres. Pero por ley natural, y por necesidades de la propia vida cotidiana, su labor principal estaba en las tareas de la casa. Téngase en cuenta que sólo para elaborar las tortillas que se consumían diariamente en la dieta familiar podían pasarse un buen número de horas.

Ello no quiere decir que la mujer fuera tratada como una esclava, puesto que se la tenía un gran respeto, e incluso, conforme a la mitología azteca, una mujer había sido una de los cuatro guías del pueblo mexica en los tiempos de su peregrinaje en busca del lugar donde aposentarse. Además, cuando los tiempos fueron más duros para aquel pueblo errante y en los primeros momentos de su llegada a un terreno tan poco generoso para sus pobladores, fue así mismo la firme y decidida labor de las mujeres la que ayudó a las gentes a sobrevivir a sus penurias.

Por ello no es de extrañar que quisieran de igual modo a un niño que a una niña, especialmente en lo que se refería a su educación, cosa de la que cuidaban con esmero, porque estaban seguros de que una infancia bien educada conducía luego a una sociedad de personas capaces de seguir adelante con éxito su ingente tarea soñada: la de convertirse en el pueblo más grande y poderoso de la Tierra.

Así, los infantes de ambos sexos acudían diariamente a la llamada *telpochcalli*, o «casa de la juventud», que era en realidad su escuela, el lugar donde se les enseñaba sobre todo moral, disciplina y, naturalmente, religión, asignatura obligada en aquella sociedad tan teocrática.

Pero las clases no se limitaban a esas enseñanzas, sino que también aprendían los niños la teoría e incluso la práctica necesaria para ser un día guerreros útiles a su comunidad, y a las niñas, aparte aprender los ritos sagrados en que con el tiempo intervendrían, se les enseñaba danza y canto. La retórica era otra asignatura, común a ambos sexos. Como se ve, los aztecas no descuidaban ninguna enseñanza que pudiera ser útil en el futuro a las nuevas generaciones.

Pero aun en lo de la educación, como en todo, había sus clases, sus diferencias de casta, y el *calmecac* era un ejemplo de ello. Se trataba de otra clase de escuela, pero ésta para los nobles, cuyos hijos acudían a ella para ser enseñados de forma que un día pudieran ejercer tareas propias de políticos, magistrados o sacerdotes, carreras siempre reservadas a los poderosos. Sólo que en aquella escuela tan selecta había sus normas, mucho más severas y rígidas que las de las «casas de la juventud». Por ejemplo, allí abundaban los períodos de abstinencia, las penitencias, los baños rituales y toda una serie de inacabables oraciones.

Las penitencias, especialmente, gozaban de un especial fervor entre la juventud azteca, muy dada a automutilarse, en prueba de devoción y de fervor religioso. Así, no era de extrañar ver a muchos con orificios en sus labios, orejas e incluso lengua, causados por punzones de hueso o afiladas hojas de obsidiana, sin importarles la hemorragia que se causaban con ello, y que consideraban como una ofrenda más a sus dioses.

La edad del matrimonio solía ser la de los veinte años en los varones y unos quince o dieciséis en las hembras, y no puede sorprender mucho que en aquella sociedad también fuera todo un ritual la petición de mano, como sigue siéndolo en muchos otros pueblos del mundo incluso en la actualidad.

Parte de ese ritual consistía en que el novio enviara a casa de los padres de su novia unos emisarios que no se limitaban a una sola visita, sino a varias, hasta obtener el asentimiento paterno para la unión conyugal.

Cuando la familia daba su definitiva aprobación para la boda, ésta se celebraba siempre en casa del novio, y siempre a la caída de la tarde, tras lo cual dejaban a la flamante pareja a solas, encerrada en la casa. ¿Para el acto sexual y los esponsales? De ninguna manera. Por asombroso que parezca, cuando la pareja se quedaba en la intimidad por primera vez pasaban hasta cuatro días encerrados, orando y ofreciendo a los dioses sacrificios de sangre, sin que en momento alguno se llegara a consumar el matrimonio.

Normalmente, la monogamia era la forma habitual de relación matrimonial en los aztecas, pero ello no quiere decir que la poligamia estuviera prohibida. Por el contrario, ésta estaba autorizada, pero solamente para las altas clases sociales, si bien la herencia del esposo siempre iba a parar por ley a la primera de sus mujeres.

Como vemos, la sociedad azteca estaba perfectamente reglamentada y hasta en sus menores detalles existía una organización minuciosa, que impedía toda clase de anarquías en cualquier terreno social, moral o religioso. Constituía todo un engranaje social perfecto, donde cada cual cumplía con su papel conforme a unas reglas determinadas y concretas. Por ello no es de extrañar que dentro de su seno no hubiera lugar para conflictos o desórdenes, ya que las normas básicas de la disciplina y el orden estaban muy bien definidas por su legislación.

No era habitual oír gritos ni voces disonantes ni en los mercados o lugares de esparcimiento; eran personas de costumbres severas y morigeradas, cosa que no dejó de sorprender, y mucho, a los conquistadores, como queda escrito por algunos de ellos, entre los cuales se contaba el propio Hernán Cortés, narrador excepcional de muchas de las virtudes que adornaban al pueblo azteca. Tampoco existían rebeldías o muestras de descontento entre las clases menos favorecidas, pese a que éstas debían conformarse con tener por alojamiento viviendas de adobes y ramas, mientras la piedra se reservaba única y exclusivamente para las casas de los ciudadanos ilustres, especialmente políticos y religiosos.

Para los conquistadores, habituados a ver en sus países de origen la vida libertina y disipada de los más nobles y ricos, tampoco resultaba normal descubrir que, en aquel pueblo, eran precisamente las clases altas las obligadas a mantener una conducta más intachable, como ejemplo para los demás, bajo la amenaza de severas penas para los que faltaran a esa norma de conducta.

Al parecer, la severidad en la legislación llegaba a tanto, que algunas faltas podían llegar a ser castigadas con la muerte, como era el caso de los adúlteros, sin distinción de sexo, otra señal de que en sus leyes no había diferencias para un delito contra la moral o contra cualquiera de sus normas, ya fuera hombre o mujer el que lo cometiera.

No cabe duda de que toda esa severidad no hacía sino fortalecer la raza, impidiendo excesos y depravaciones, así como la temida decadencia moral que pudiera conducir a un resquebrajamiento de los ambiciosos sueños imperiales de aquella raza sorprendente.

No resulta extraño todo esto, porque el imperio mismo se estaba cimentando en torno a una religiosidad fuerte, incluso tal vez excesiva, que a la larga iba a ser, a pesar de todo, un factor negativo en su futuro, ya que el miedo a los desastres y presagios funestos hizo presa incluso en sus dirigentes, especialmente en el propio Moctezuma II, que hizo que éste viviera pendiente de un castigo divino, capaz de presentarse sobre ellos como un azote en cualquier momento y contra el que, en su fatalismo, pensaban que nada podía hacerse.

A fin de cuentas, su exceso de fe religiosa no estaba haciendo otra cosa que abonar el campo para lo que había de venir. Y ese algo que les amenazaba distaba mucho de ser las hecatombes pronosticadas por sus divinidades, sino la llegada de unos hombres de otras tierras, carentes de escrúpulos y con creencias muy distintas a las suyas, aunque no menos intolerantes: los conquistadores españoles.

De entre todos los reyes o emperadores de los aztecas existentes, precisamente iba a ser Moctezuma el más devoto y creyente, lo que no le haría ningún bien a su persona ni a su pueblo, y pondría en bandeja a los invasores su victoria final y, con ella, el fin mismo del soñado imperio azteca.

Pero de eso hablaremos en su momento, cuando llegue la ocasión de narrar el enfrentamiento épico entre dos civilizaciones, que no fue otra cosa que el enfrentamiento personal entre dos hombres, dos conceptos de vida, dos modos distintos de pensar, dos fuerzas naturales condenadas inevitablemente a chocar entre sí: los conquistadores y el pueblo autóctono.

En suma, dos personas de igual talante valeroso y decidido, pero de diferente mentalidad y principios morales: Hernán Cortés y el emperador Moctezuma Xocoyotzin, o Moctezuma II.

Capítulo IV

— Ciencias, deportes, ocio, etc. —

RESULTA admirable que un pueblo como aquel fuera capaz de desarrollar actividades tan diversas como pueden serlo la astronomía, la escritura, la pintura, e incluso muestras de ocio como el juego de pelota, aunque en lo relativo a sus deportes hay que señalar que, como tantas otras cosas de aquella sociedad, se convirtiera en el fondo en un ritual.

Realmente, el juego de pelota de los aztecas tenía origen olmeca y se difundió prontamente por toda Mesoamérica; consistía en intentar introducir una pelota de caucho a través de un aro de piedra, con cierta semejanza a nuestro actual basketball, utilizando para ello codos, caderas y piernas por un igual.

El deporte en sí no significaba solamente una demostración atlética o una simple competencia deportiva, sino que se le dieron connotaciones religiosas, como era natural, y así la cancha donde se jugaba simbolizaba un diagrama cosmológico y la pelota representaba al sol.

En algunos puntos del Imperio se llegó a extremar tanto el carácter religioso y místico del juego, que lo convirtieron en parte de un ritual bárbaro, en el que el derrotado, además de perder el partido, perdía la vida con él y era sacrificado. Se ha dicho que todos los aztecas lo practicaban en ese sentido, y ello no es cierto, salvo en casos excepcionales y, como hemos dicho, en determinadas regiones del entonces ya amplio imperio. Los deportistas se reforzaban con bebidas estimulantes como el cacao, que ellos tomaban totalmente puro y amargo, para reponer fuerzas y seguir jugando.

Sin apenas medios tecnológicos, lo cierto es que los aztecas demostraron su ingenio e inteligencia desarrollando con fuerza no solamente su cultura, sino también su ciencia. Se ha demostrado que poseían grandes conocimientos astronómicos y, aunque no dispusieran de instrumentos de observación, lograron elaborar un perfecto calendario solar, que aún hoy en día asombra por su detallismo, y se ha comprobado que conocían el ciclo de los eclipses de sol o de luna perfectamente.

También, como los egipcios, desarrollaron asombrosos conocimientos anatómicos, lo que, unido a su experiencia en hierbas medicinales, les llevó a ser capaces de medicar y hasta de utilizar la cirujía, todo ello inevitablemente mezclado con prácticas religiosas o de hechicería, como en casi todos los pueblos antiguos.

Además, como entre los aztecas las medidas higiénicas estaban muy desarrolladas y mantenidas, ello prevenía de muchas enfermedades que, de otro modo, hubieran podido diezmar a la población, como más tarde sucedería, inevitablemente, con los virus y bacterias desconocidos por los pueblos americanos, y llevados allí por los conquistadores.

Otro aspecto de su cultura, nada despreciable por cierto, es su enorme preparación para la arquitectura, ya que solamente así se explica que fueran capaces de levantar ciudades tan monumentales y bellas, dominadas casi siempre por sus famosas pirámides escalonadas, totalmente macizas, sin cámara alguna en su interior, ya que solamente tenían una finalidad religiosa, y el culto a sus deidades tenía lugar en sus cimas. Alrededor de esas pirámides monumentales alzaban edificios de gran belleza, que dejaron atónitos a los españoles cuando llegaron allí, esperando encontrar pueblos bárbaros y sin cultura alguna.

Muchas pinturas, como en los propios mayas, adornaban algunos de sus edificios, aumentando su atractivo y hablándonos del nivel artístico al que llegaron los aztecas, que tampoco olvidaron la escultura. De ella nos han quedado muestras abundantes, que aún hoy en día sorprenden por su calidad y expresividad poco habituales en otras civilizaciones que no fueran las precolombinas.

En cuanto a la escritura, los aztecas utilizaban más bien pictogramas, es decir, dibujos que les sirvieran para expresar con ellos conceptos e ideas, lo que les resultaba sin duda más sencillo que una escritura a base de letras o signos determinados. Aun así, eran capaces con esos criptogramas de llevar la contabilidad y de expresar sus tradiciones orales, transmitiéndolas así de modo indeleble a futuras generaciones.

Hemos hablado antes del juego de pelota como expresión deportiva o de ocio, pese a sus connotaciones rituales, pero había otras muestras de ocio en la sociedad azteca, como los llamados «pájaros voladores», juego que ha traspasado las fronteras del tiempo y que aún hoy en día es posible presenciar en México. Consiste en construir una plataforma giratoria en lo alto de un poste. Todo el que participa en el juego, sube a lo alto y desde allí se lanza al vacío con los pies atados a una cuerda que permanece sujeta a la plataforma superior.

Todo el movimiento generado por los tirones y por los movimientos de brazos al caer hace que la plataforma dé giros ininterrumpidamente, mientras al pie del poste un músico marca con su melodía el ritmo de vuelo de los pájaros. Excuso decir que hay que tener estómago fuerte y muy poco vértigo para poder practicar ese juego, que es como una especie del paracaidismo actual, pero con ritmo de carrusel verbenero.

En cuanto a la numeración, los aztecas tenían un método sencillo de desarrollar sus cálculos matemáticos. Desde el número 1 hasta el 19, se expresaban mediante puntos; el número 20, con una bandera; el 400, con una pluma, y el 8.000 con una bolsa. Acumulando todos estos elementos, eran capaces de hacer toda clase de sumas posibles.

Aunque antes hemos mencionado de pasada la arquitectura y la escultura aztecas, merece la pena detenerse con más detalle en ambas cuestiones para acabar de comprender la importancia técnica y artística de estas dos formas de expresión de aquella cultura admirable, puesto que de ellas, pese al transcurso de los siglos, sí nos han quedado pruebas, aunque demasiado escasas por desgracia, para demostrarnos su grandeza excepcional.

Especialmente en la arquitectura, los aztecas demostraron poseer unas nociones pasmosas, unidas a un sentido artístico y monumental nada corriente, salvo en las otras culturas mesoamericanas, como la maya o la inca.

Los edificios eran realmente deslumbrantes, y no sorprende en absoluto que su concepción casi futurista dejara pasmados a los españoles, lo que no impidió que éstos mismos lo arrasaran todo a su paso, en un ejemplo de destrucción brutal e imperdonable. Los proyectos arqueológicos y el intento por desenterrar los restos de aquellas magnas obras arquitectónicas todavía no son, desgraciadamente, una realidad, y hemos de conformarnos con las escasas ruinas existentes, para que luego los diseñadores, y más recientemente las computadoras, puedan recrear las formas de aquellas ciudades incomparables.

Por encima de toda otra edificación, destacaba en una ciudad azteca el templo mayor, o pirámide escalonada de la que tanto hemos hablado ya, edificación de unos treinta y cinco metros de altura, que se formaba a base de la superposición de otras pirámides truncadas, formando así sus gigantescos escalones. Arriba había dos templos, uno dedicado a Tláloc y otro a Huitzilpochtli.

Otro edificio, llamado «recinto de Tlachtli, estaba destinado al juego de pelota; el *calmenac* era el edificio educativo destinado a educar a los futuros religiosos y políticos; el «edificio de los Caballeros Águila» era el cuartel de la orden militar del mismo nombre; el templo de Quetzalcóatl era una pirámide circular, evocando los remolinos del viento, del cual este dios era patrón. El edificio denominado *coateocalli* era el almacén destinado a guardar las reliquias religiosas arrebatadas a las tribus vencidas y sometidas por los aztecas. También tenía gran importancia el Templo del Sol, donde se rendía culto a Tonatiuh, el quinto sol de las creencias aztecas.

Las ciudades eran estructuras urbanas de amplísimas avenidas, zonas verdes y recinto amurallado contra posibles enemigos. Y toda la urbe, en sí, era armoniosa, de gran belleza y total sentido práctico, por cuyas vías circulaban cómodamente los ciudadanos. Fuera del recinto amurallado se alzaban los pueblos circundantes, casi todos ellos destinados a las clases menos pudientes de aquella sociedad.

No se comprende, por otro lado, cómo, sin ningún instrumento metálico a su servicio, pudieron llegar a crear las esculturas en piedra, con el detalle y la expresividad con que lo consiguieron sus artistas. Admira, y casi sobrecoge, el aspecto tenebroso e impresionante de sus figuras, casi siempre talladas para provocar con su presencia temor y respeto en los ciudadanos. De ahí que muchas veces la expresión de las tallas resulte amedrentadora incluso para un observador actual. Es fácil imaginar la impresión que darían en el lugar y momento adecuados, con su espantable aspecto.

Pero al margen de ese cariz amedrentador, hay que fijarse con verdadero asombro en la belleza, perfección y detallismo de todos sus rasgos, reveladores de una capacidad artística fuera de lo común. No hablemos ya de las piedras conmemorativas, donde se tallaron hazañas gloriosas del pasado de los pueblos mexicas, con unos relieves exquisitos. El Museo Nacional de Antropología e Historia de México es, en este aspecto, un verdadero muestrario de tan exquisito arte escultórico. Allí pueden verse ejemplares tan soberbios como la piedra Tizoc, esculpida durante el mandato de ese rey, de ahí su nombre; o como Coatlicue, «la de la falda de serpientes», madre del dios Huitzilopochtli, encarnación de la tierra y la fecundidad.

En el Museo del Templo Mayor, también de México, se puede admirar la llamada «luna rota», o Coyolxauhqui; «la de los cascabeles en las mejillas», encarnación divina de la luna, con un peso de ocho toneladas y más de tres metros de diámetro.

Se supone que, al no disponer de instrumentos metálicos, los artistas aztecas utilizaban otra materia dura, más dura que la propia piedra, como podía ser la obsidiana, para con ella fabricar cuñas y punzones con los que tallar la piedra blanda, como lo eran la andesita o el basalto.

Pero aun así, no deja de ser pasmosa la habilidad de aquellos artesanos para no romper la piedra, y para posteriormente pulir sus creaciones simplemente con el roce de la piedra tallada contra la arena.

Como hábiles tenían que ser otra clase de artesanos, los llamados *amantecas,* que elaboraban los vestidos de las clases más altas a las más bajas y, lo que era más complicado, manufacturaban los tocados con plumaje de aves, no dañando lo más mínimo las plumas a utilizar. En el Museo Etnográfico de Viena se encuentra nada menos que el penacho del propio Moctezuma, del cual se dice que formó parte de la ofrenda del emperador a Cortés, y que ha sido reclamado por México en diversas ocasiones, como parte de su herencia cultural, sin éxito hasta el momento por parte de las autoridades austríacas.

Pero estos artesanos no sólo trabajaban con tejidos y plumajes, sino que manejaban el oro o la plata, e incluso las piedras preciosas, para elaborar los tocados y ropajes lujosos de los personajes de elevada alcurnia o de los sacerdotes de los templos más importantes.

Lo que pudiera faltarles en medios técnicos, los aztecas lo suplían con su imaginación y habilidad para crearse instrumentos y modos de trabajar capaces de crear verdaderas maravillas que nadie podría imaginar que salieran de tan precarios recursos.

También hemos citado de pasada anteriormente lo relativo a sus conocimientos medicinales y anatómicos, y hemos de hacer hincapié en que esa rama del saber también era por completo intuitiva, como lo era la Astronomía para ellos, ya que solamente disponían de las plantas cuyas propiedades medicinales y curativas ellos conocían, junto a los conocimientos anatómicos mencionados, que poco o nada tenían que envidiar a los de los europeos.

A los médicos se les llamaba en lengua azteca *ticitl*, y aunque en ocasiones recurrían a rituales muy próximos a la simple hechicería, lo cierto es que se conocían perfectamente el cuerpo humano y el tratamiento adecuado para las más serias enfermedades que pudieran afectar al pueblo. Eran buenos masajistas, expertos sangradores, y las mujeres se dedicaban a parteras sin riesgo apenas para las futuras madres.

De no ser por todo esto, es obvio que el imperio azteca nunca hubiera llegado a la superpoblación a la que llegó, evitando epidemias y daños colectivos que mermaran su censo peligrosamente. A ello añadiremos las medidas de higiene reglamentarias, que iban desde los baños de vapor en una especie de saunas llamadas *temazcal* hasta el cuidado corporal y la rápida prevención de cualquier mal menor, recurriendo a los medios curativos de entonces.

Hemos mencionado sus conocimientos astronómicos, calificándolos de puramente intuitivos, y nos reafirmamos en ello, dado que carecían de cualquier instrumento de precisión que les permitiera observar los astros y hacer cálculos matemáticos sobre el universo.

Pese a ello, y al margen de las posibles explicaciones religiosas que los sacerdotes daban a cualquier dato astronómico —no hay que olvidar que la mayoría de los astrónomos eran los propios sacerdotes—, lo cierto es que simplemente con el ojo desnudo, sin más artilugios, llegaron a conocer el ciclo de los eclipses, el del año trópico y hasta el ciclo de Venus. De sus conocimientos de esas materias dejaron un documento incontrovertible: el calendario solar.

Este calendario nunca debe ser confundido con otro famoso calendario azteca, el adivinatorio, llamado *tonalámatl*. El calendario solar contaba los días a través de un sistema llamado *xiuhpoualli*, que componía un año de dieciocho meses, con veinte días cada mes. Así, para diferenciar el mes europeo del de ellos, los conquistadores dieron en llamar a éste «veintena».

Lo cierto es que, añadiendo a ese año solar un período de cinco días, que ellos llamaban *nemontemi*, salían justamente los 365 días de nuestro calendario. Realmente asombroso. Lo curioso es que ese período añadido de cinco fechas era un tiempo de ocio total, en que estaba prohibida toda actividad, ya que consideraban que eran unos días nefastos, que no podían traer suerte a quienes trabajaran ni a sus hechos mismos.

Pero al carecer de lenguaje escrito, la complicación venía de las representaciones gráficas con que se reflejaban las fechas. Debían combinarse para ello unos glifos o pictogramas, aunque ello provocase a su vez otra dificultad añadida, ya que al ser un sistema cerrado cada 52 años se repetía la misma fecha, lo que, si a ellos nunca pareció confundirles, sí resulta un quebradero de cabeza para los estudiosos actuales.

Al margen de todas esas consideraciones matemáticas, la verdad es que para el hombre actual no deja de resultar desconcertante que, en tiempo tan lejano, y sin medios técnicos para ello, una civilización fuera capaz de medir el tiempo con tanta exactitud y de dominar ramas de la ciencia como la Medicina o la Astronomía, casi sin recursos.

Tal vez por ello, el respeto hacia la civilización azteca ha ido en aumento con los años, a medida que se iban conociendo los detalles de sus actividades. Y con ese respeto, el lamento general por el hecho de que tan magna obra quedara luego en la nada por la cerrazón militar y religiosa de un puñado de aventureros que sólo buscaban su lucro y poderío, el servicio de gobernantes ávidos de riquezas, de nuevas posesiones y de grandezas basadas en la destrucción de otras formas de civilización que hubieran podido llegar a lo más alto, y que de hecho llegaron, dados sus recursos, bajo el mando del más conocido, ambicioso y glorioso de sus emperadores: Moctezuma II.

Pero el destino, ese destino fatalista que formaba parte de las más profundas creencias de los aztecas, estaba esperando en algún recodo del camino recorrido por aquella civilización que se creía elegida, y que probablemente lo era, pero cuya fatalidad podía truncar de una vez por todas, y para siempre, la soñada ruta de gloria y de poderío que ellos mismos se habían marcado como meta de sus ambiciones imperiales.

Tuvieron que ser gentes llegadas de muy lejos, de allende los mares, quienes truncaran el gran sueño, hombres ajenos a su civilización y a su mundo. Ellos, que habían logrado vencer y someter a todas las otras tribus, pueblos y reinos vecinos, a lo largo de una serie de victoriosas campañas militares, iban a verse sometidos por sus mismas armas: la guerra y el sometimiento.

Todavía actualmente resulta cuando menos extraño, casi inexplicable, que un puñado de hombres venidos de otro continente, con pocos pertrechos y en una inferioridad numérica aplastante, pudieran descabezar aquel orgulloso imperio. No se sabe bien si en ello jugó la audacia y suerte de los españoles, su mayor poder agresor, formado por el armamento y los medios de combate, muy superiores a los de tropas que incluso desconocían la existencia de los metales..., o si realmente los aztecas tenían razón en sus creencias religiosas y todo se debió a esa fatalidad inexorable anunciada por sus deidades.

Luchar, lucharon, y bravamente, porque si algo tenían los aztecas era precisamente el valor y la temeridad en el combate, la buena organización en el campo de batalla, la capacidad individual y colectiva para enfrentarse a cualquier enemigo y vencerlo. Por eso, en algunos momentos, la balanza pareció decantarse de su lado y la victoria sonreírles, aunque a la postre resultara un espejismo.

Pero, en definitiva, la gran verdad es que con sólo quinientos hombres Cortés conquistaría México, sin tener ninguna experiencia militar previa, y fiado tan sólo en su indiscutible astucia para ganarse aliados contra Moctezuma, sembrar discordias entre las diversas tribus de la familia azteca, en el arrojo de sus hombres y de sí mismo, y evidentemente en una enorme dosis de suerte como no se ha visto jamás.

Fuera como fuera, lo cierto es que los aztecas, militarmente tan avezados, y con su fundamentalismo religioso por bandera, se estrellaron tal vez contra el enemigo menos fuerte de su historia, y paradójicamente ese enemigo fue el destinado a vencerles. Veremos cómo y por qué en el momento en que nos corresponda analizar detalladamente el enfrentamiento entre Moctezuma y los españoles capitaneados por el hidalgo extremeño.

Todavía, antes de llegar a ese punto crucial no sólo en la historia del pueblo azteca, sino de la vida misma del rey-emperador Moctezuma, nos quedan por ver algunas cosas importantes de ese pueblo y de su organización social, política y dinástica, para completar la radiografía exacta de aquel gran imperio.

Capítulo V

— Política y economía —

En la escultura más conocida de los aztecas se puede encontrar glosada toda la historia de su pueblo, condensada en veinticinco toneladas de piedra tallada en forma circular, con un diámetro de tres metros y medio largos.

Descubierta en 1790 en la plaza de la Constitución de México, se supone que llevaba allí enterrada al menos tres siglos, y en ella podemos ver la historia mitológica de los cuatro soles o eras que conformaban el pasado, más el período mismo en que el imperio creció y se engrandeció.

Curiosamente, una de las eras allí señaladas alude a un gran diluvio que exterminó a la humanidad, en asombrosa coincidencia con el diluvio universal citado en la Biblia. También se alude al fin de otra era mediante una lluvia de fuego que solamente dejó con vida a los hombres convertidos en pájaros. Otra coincidencia sorprendente con las teorías que apuntan al fin de los dinosaurios a causa de la caída de un meteoro, y de cuyas especies solamente sobrevivieron los pájaros, únicos descendientes de los dinosaurios que se conocen en la actualidad.

¿Casualidad? ¿Lo es también que se hable de una especie humana semejante a los monos y que se alimentaba de piñones, en la Segunda Era de esa Piedra del Sol? ¿Coincidencia con las teorías de la evolución de las especies conforme las expuso Darwin?

Demasiadas casualidades y coincidencias como para que solamente sean eso. ¿Cómo pudieron los aztecas bucear en el pasado del hombre y ver cosas tan parecidas a las que, en remotas tierras, han narrado científicos, historiadores e incluso profetas bíblicos?

Resulta obvio imaginar que los misterios de la famosísima Piedra del Sol azteca jamás podrán ser desvelados por sus estudiosos, ya que pertenecen a un remoto pasado, y quienes allí relataron estos hechos no pueden sacarnos de dudas. El misterio sigue ahí, y ahí seguirá para siempre.

El pueblo azteca, como el egipcio —otra curiosa coincidencia, sin duda—, carecía de moneda para comprar o vender. Pese a cuanto se ha fabulado sobre los míticos tesoros aztecas, en ellos, aunque existieran realmente, no se podían encontrar monedas de oro, porque la moneda no existía. Nunca acuñaron dinero oficial, ya que su sistema de compra o venta era el simple trueque de un artículo por otro. El grano de cacao, de gran valor para ellos, era una de las «monedas» de cambio en la sociedad azteca.

Aunque conocían metales como el oro, la plata o el cobre, no los utilizaban sino como joyas o adornos, y el único material duro disponible para sus armas y sus trabajos artesanales era la obsidiana, que afilaban del modo adecuado para fabricar con ella cuchillos y armamento con filo. La obsidiana es una roca volcánica parecida al vidrio, pero de gran dureza, de un color casi negro. También la usaban, una vez bien pulimentada, como un espejo.

Aunque conocían la existencia de la rueda, rara vez se utilizó entre ellos, por la sencilla razón de que carecían de animales de tracción y, por tanto, no les valía como un medio para transportar mercancías o personas. Además, en aquel valle donde se aposentaron, al abundar los ríos y lagos, la canoa era el medio más apropiado para trasladarse. Si se tenían que hacer largas expediciones por tierra firme, recurrían a porteadores que llevaran la carga y a literas conducidas manualmente para los personajes que debían desplazarse de un lado a otro.

Debe tenerse en cuenta que los aztecas carecían de grandes herbívoros como las mulas o las vacas, y solamente conocían tres clases de animales para su alimentación: patos, guajolotes y perros pequeños. Tal vez por ello mismo no se molestaron en inventar nada semejante al arado, ya que el cultivo de la tierra debía hacerse a mano, labrándola con algo parecido a las lanzas.

En sus trueques y cambios no existían medidas de peso para los artículos, y se recurría siempre al número para medir cantidades. Como ya hemos visto antes, todo giraba en torno a la veintena, que era la base de toda su contabilidad. Los recaudadores de impuestos utilizaban un sistema de medida, llamado «carga», que era el equivalente a lo que una persona necesitaba para mantenerse durante un año.

Con todas esas limitaciones, sin embargo, la economía azteca era próspera y no había problemas graves que afrontar en ningún caso, ya que las normas eran cumplidas respetuosamente por todos, so pena de sufrir serios castigos por cualquier intento de engaño o de manipulación dolosa.

Era una economía sencilla pero práctica, sobre la que se basaba la prosperidad de todo el pueblo, de sus dirigentes y de toda clase de niveles sociales. Solamente los pueblos sometidos sufrían en ocasiones los abusos del poder, y ése era uno de los motivos de descontento de los sometidos hacia sus dominadores. Factor éste que sabría aprovechar muy bien Cortés en su beneficio, llegado el momento. Como ha ocurrido en otras ocasiones y latitudes, el abuso en la recaudación de impuestos para el tesoro público podía llenar las arcas del Estado, pero sembraba el inevitable descontento entre los expoliados abusivamente.

En cuanto a la política, ya hemos visto que era un sistema basado fundamentalmente en unos sólidos pilares religiosos, morales y militares, que pudieran asegurar la supervivencia de la raza sin deterioro ni corrupción. Que hubiera abusos de poder no significa que fueran habituales. Pero aun así, el sentimiento profundamente teocrático del pueblo azteca se sometía sin rebeldías a las disposiciones emanadas de sus gobernantes, porque éstos aseguraban que eran sus dioses los que las inspiraban. Pero en un pueblo donde no se permitían las orgías, los excesos sexuales ni el adulterio, resultaba evidente que no podía degenerar la especie ni resquebrajarse moralmente la sociedad.

Los gobernantes eran también en todo momento de un fundamentalismo religioso a toda prueba, que imponían por la fuerza a otros pueblos sometidos que no tuvieran sus mismas creencias ni sus profundas convicciones religiosas. Sobre esas rígidas leyes y sobre el extremo cuidado puesto en la formación militar de los aztecas, se asentaba tal vez la mayor fuerza del imperio.

Porque en realidad, y a pesar de toda su estructura teocrática, lo cierto es que los aztecas eran eminentemente belicosos, y la guerra solía ser su meta para convencer a todo pueblo disidente. No sorprende, por tanto, que el ejército fuese la única institución que se equiparara en poder e influencia a los propios sacerdotes. Si existía un riesgo cualquiera, un peligro que amenazara al imperio, hasta el último hombre se convertía en soldado.

Aunque hubiera guerreros profesionales, todos los ciudadanos recibían instrucción militar obligatoria, como ya hemos visto antes, y estaban listos para incorporarse a filas a la menor incidencia. Su entrenamiento militar era intensísimo, con la finalidad de que cada soldado fuera aguerrido y bien dispuesto para el combate. Lo cierto es que la tropa azteca era temida por los enemigos y por los pueblos vencidos, muchos de los cuales se sintieron libres del duro yugo militar del imperio cuando los españoles les ofrecieron la alternativa de pasar a ser vasallos del emperador español.

Tenochtitlán, la capital, tenía veinte unidades territoriales de tropa, o *calputin*, que en conjunto formaban cuatro divisiones, comandadas habitualmente por el propio emperador o por parientes suyos muy cercanos y de total confianza. Existían luego unidades menores, formadas por doscientos, cuatrocientos u ochocientos guerreros —obsérvese: siempre múltiplos de 20—, a quienes mandaba un oficial de la nobleza. Aparte ese ejército regular, existían fuerzas de elite con nombres agresivos, como los «caballeros jaguar» o los «caballeros águila», quienes eran fácilmente identificables en el momento de entrar en combate, ya que los primeros ostentaban sobre su cuerpo piel de jaguar (que se decía era del dios Tezcatlipoca, patrón de la victoria), o bien recubiertos con armaduras de algodón y plumajes, los segundos, que era el emblema del dios Huitzilopochtli.

Las jerarquías en los mandos militares acostumbraban a ser cosa de la casta o linaje de sus miembros, o bien por méritos de guerra obtenidos en el combate, y que solían medirse por sus victorias o por el número de prisioneros capturados en una acción, cuando no muertos en la batalla.

No existía el uniforme militar como tal, pero los soldados acostumbraban a lucir en su lugar banderolas o plumas del mismo color, como un distintivo de su unidad. Pero los jefes y oficiales eran no obstante fáciles de identificar, ya que solían lucir atavíos sumamente llamativos y lucir estandartes de tela y madera sujetos a sus espaldas. Eso les hacía distinguirse a veces demasiado, puesto que para el enemigo era tarea sencilla elegirle como blanco.

He ahí uno de los grandes motivos que condujeron a Cortés en su momento a una victoria tan completa como inesperada, precisamente apenas consumada su gran derrota de la *Noche Triste*. Los aztecas consideraban perdida una batalla si su estandarte caía derribado o les era arrebatado por el enemigo. Esa estratagema iba a servirle al conquistador español para volver la tortilla en el momento menos favorable para sus intereses, como se verá cuando hablemos de la batalla decisiva de Otumba.

Pero así era la mentalidad de los aztecas y nada podía cambiarla. Su sistema bélico no sabía de demasiadas florituras ni estrategias, pero era efectivo. Lanzaba habitualmente a sus hombres a un masivo ataque frontal, precedido por una verdadera lluvia de jabalinas, flechas y piedras. Su objetivo fundamental en toda batalla no era el de causar gran número de muertos al enemigo. Preferían capturar prisioneros vivos, por una razón muy sencilla: los necesitaban luego para sus sangrientos rituales de sacrificios.

La única protección que llevaban los soldados en la lucha era una especie de armadura confeccionada con capas acolchadas de algodón o fibra de maguey, una planta fibrosa que crecía en los lugares muy áridos, llamada por los mexicas «árbol de las maravillas», por la variedad de productos que de él se podían extraer. Endurecían esas armaduras con salmuera, y tanto utilizaban aquella protección para todo el cuerpo como para cubrirse tan sólo el torso. Les sobraba con esos simples elementos para protegerse de armas como flechas o jabalinas, que era lo que ellos conocían. Como armas para el ataque, solamente conocían venablos lanzados con un artefacto de madera que lo propulsara o pesadas lanzas con punta de obsidiana, aparte una especie de mazo-espada, el *maquahuitl*, y un palo de madera o las hondas para arrojar piedras.

Todos ellos, como se ve, recursos primarios para la guerra, pero eficaces en aquellas regiones, y más en manos de soldados bien preparados como los aztecas. Aquel armamento quedaría obsoleto, llegado el momento, para afrontar más duras empresas, como se vería con la llegada de los conquistadores, con armas para ellos desconocidas e infinitamente más poderosas.

Pero mientras tanto, el ejército azteca fue temido, y con razón, por todos los pueblos vecinos, ya que los pueblos no solían estar tan bien preparados para la guerra, y su resistencia al agresor acababa resquebrajándose ante la ferocidad y virulencia de los ataques imperiales.

De ese modo iban sumando conquistas, extendiendo sus dominios o sometiendo a otros pueblos más débiles, hasta formar aquel amplio imperio tan diferente a la inicial tribu nómada llegada un día a los inhóspitos lugares donde sus dioses les habían prometido la tierra soñada. Militarmente fuertes, moralmente sólidos y guiados por un sentido fanático de adoración a sus deidades, era obvio que el poderío estaba de su parte, y que nadie podía resistir demasiado tiempo a su acoso.

Cualquier conato de rebelión entre los nuevos súbditos sometidos por el imperio azteca era rápidamente abortado sin contemplaciones, lo que despertaba el suficiente temor en los demás como para no intentar sublevarse contra sus dominadores. Pero, inevitablemente, todo eso iba dejando un poso de resentimiento, de dormida rebeldía, incluso de odio hacia el más fuerte, que en cualquier momento podía dañar a los que se creían invencibles.

De hecho, así sucedió cuando se les presentó la oportunidad de levantarse contra Tenochtitlán. Esa oportunidad llegaría cuando los extranjeros llegaron a aquellas tierras en misión de conquista. El peor enemigo para los aztecas en ese momento fueron sus propios pueblos vecinos, aquellos a quienes sometieran en su día, ávidos de revancha y de liberación de sus verdugos.

Por su hegemonía militar de tantos años, iban a pagar luego un alto precio, ya que la ayuda de los pueblos y tribus nativas hostiles a Moctezuma y a su reino sería uno de los factores decisivos en los éxitos de las tropas de Cortés durante la conquista de México. Tal vez, de haber contado los aztecas con aliados leales entre aquellos otros nativos, en vez de con enemigos resentidos, hubieran sido diferentes las cosas.

Pero, como ellos decían, la suerte estaba echada. Y tal vez todo cuanto sus dioses les habían concedido hasta entonces no era sino el torcido camino hacia el desastre presagiado por sus creencias.

Capítulo VI

— La dinastía azteca —

No fueron muchos los reyes o emperadores que cuentan en la historia del imperio azteca hasta la llegada de los españoles. Solamente seis fueron sus gobernantes, llamados *huey tatloani,* y muchos no saben a ciencia cierta si denominar como reyes o como emperadores. Todo depende de cómo se miren las cosas.

El sueño azteca era crear un imperio. ¿Llegó realmente a su objetivo o se quedó a medio camino? Los historiadores no se ponen de acuerdo en eso. Para unos, no eran sino reyes sus gobernantes. Para otros, se les puede otorgar el grado de emperadores, puesto que su intención fue fundar un imperio, y de hecho lo consiguieron, al extender sus fronteras y dominios tan ampliamente.

Sea como sea, el trono azteca fue ocupado por aquellos seis mandatarios a lo largo de su breve historia. Era ciertamente un cargo que significaba el poder absoluto, aunque sus decisiones tuvieran que ser previamente consultadas con un consejo o corte de altos dirigentes.

El título real no era en absoluto hereditario, al contrario que en las dinastías de otros pueblos y latitudes. Pero sí solía recaer en el seno de una misma familia, con distinto grado de parentesco. Así, tenemos que, aunque no fuera hereditario, los seis gobernantes o reyes anteriores a la conquista fueron siempre hermanos o sobrinos de sus antecesores en el cargo.

El primer monarca azteca fue Itzcóatl, que se traduce como «Serpiente de Obsidiana» en su lengua. Fue el encargado de dirigir la rebelión de su pueblo contra los tepanecas, inició la forja del imperio y llevó a cabo las primeras conquistas de tierras y pueblos en torno al lago Texcoco. Reinó sobre su pueblo entre los años 1428 y 1440.

A Itzcóatl le sucedería Moctezuma I o Moctezuma Ilhuicamina, «Flechador del Cielo», que reinaría entre 1441 y 1469. Acrecentó las conquistas de su antecesor, llevando las fronteras del imperio desde las proximidades del Pacífico hasta el Atlántico. Fue el impulsor de todas las grandes obras de Tenochtitlán, ciudad-estado que engrandecería con sus proyectos.

En 1470 subió al trono Axayácatl («Cara de Agua»), cuyo reinado duraría hasta 1481. Fueron once años de gran esplendor azteca, período durante el cual fue esculpida la gran Piedra del Sol, aunque por contra tiene en su historial la primera gran derrota militar azteca, a manos de sus enemigos los tarascos.

Pero el reinado más breve de todos fue el de su sucesor, Tizoc, («Pierna Enferma»), que solamente permanecería en el trono desde 1482 a 1486. Fueron cuatro años de mandato, y todos los indicios apuntan a que, a causa de su desastrosa aptitud para las acciones militares, que pusieron en peligro la hegemonía azteca, fue asesinado por alguien interesado en eliminar cuanto antes a tan nefasto gobernante. Pero esto no deja de ser una hipótesis, que no todos los historiadores aceptan. Lo cierto es que sí se ponen todos de acuerdo en que fue un reinado tan breve como infortunado.

Le sucedió Ahuitzotl, que significa «Perro de Agua», cuyo reinado abarca desde 1487 hasta 1502. Él sería el conquistador de la actual Chiapas, llamada entonces Xoconusco, región que iba a resultar enormemente próspera para los intereses del imperio, a causa de su gran producción de cacao, cuyas cosechas tan preciadas eran para los aztecas.

El sexto y último emperador antes de la llegada de los conquistadores españoles iba a ser Moctezuma II, o Moctezuma Xocoyotzin, que reinaría desde 1503 hasta 1520.

Moctezuma iba a resultar un personaje definitivo en la corta historia —corta pero intensa— del Imperio azteca, ya que durante su reinado tendría lugar el acontecimiento que iba a marcar el destino y el futuro de los aztecas: la llegada de los extranjeros presuntamente enviados por los dioses y destinados a extinguir aquel gran imperio.

Después de Moctezuma hubo otros gobernantes, como veremos en su momento, pero puede decirse que con él alcanzó el imperio su cima y, a la vez, su abismo. Es la gran paradoja de su gobierno y de su destino: ver la cumbre de su poderío, para después caer en la sima del gran desastre sin apenas solución de continuidad.

Todo esto es lo que vamos a ir detallando ahora, al seguir la vida y obra de Moctezuma II, una vez conocida la historia completa de su pueblo, desde su oscuro origen nómada hasta su esplendor máximo y su posterior caída.

El nombre de Moctezuma Xocoyotzin, que significa en azteca «Señor Valeroso», también ofrece su propia paradoja, ya que para un sector de su pueblo le faltó ese mismo valor para enfrentarse a los españoles y vencerlos en el momento oportuno. Le culparon de querer ganarse la amistad del extranjero —Cortés—, en vez de combatirle adecuadamente desde el primer momento.

Sin embargo, no es lícito pensar que Moctezuma fuera cobarde, sino que se dejó llevar por el fatalismo de una profecía, y pensó que aquella gente venida de tan lejos, y aparentemente enviada por sus dioses, no iba a ser tan implacable y feroz con los nativos del lugar, ni que les iban a mover el afán de lucro y una intolerancia religiosa tan grande o más que la suya propia, aunque con distintas creencias.

Veamos, pues, al fin, cuál fue la verdadera personalidad del último gran emperador azteca.

Entremos en la vida de Moctezuma II.

SEGUNDA PARTE
Moctezuma

CAPÍTULO PRIMERO

— «EL SEÑOR VALEROSO» —

EL nacimiento del que habría de ser emperador de Tenochtitlán y gran gobernante del imperio azteca, Moctezuma Xocoyotzin, o «Señor Valeroso», se ha fijado aproximadamente en el año 1466, aunque no está del todo confirmada dicha fecha, que varía según los historiadores.

Pero todo hace suponer que, año arriba, año abajo, sobre ese tiempo vino al mundo, en el seno de una familia poderosa y de alta alcurnia dentro de la sociedad azteca, el pequeño Moctezuma, destinado a reinar, entre otras razones, porque todos los que antes que él fueron reyes o emperadores del imperio, eran miembros de la misma familia, como era norma en sus leyes.

Otro Moctezuma, antepasado suyo, murió poco después de nacer él, y había reinado entre 1441 y 1469, fecha de su muerte, como Moctezuma Ilhuicamina o Moctezuma I, y había de pasar a la historia por ser el impulsor de todas las grandes obras arquitectónicas y urbanas de la ciudad-estado de Tenochtitlán.

Con esos antecedentes, daba la impresión de que el joven Moctezuma podría repetir e incluso mejorar las obras de su antepasado, pero no iba a ser del todo así, por fatalidad de su destino, en parte, y también por su erróneo modo de enfocar la situación en su momento álgido.

Claro que en su nacimiento nadie podía prever que faltaban pocos años para que los extranjeros, presuntos enviados de sus dioses, pusieran pie en tierra azteca e iniciaran la destrucción del pueblo y del mundo azteca.

Durante su infancia fue educado como correspondía a su estirpe y, aunque ya hemos dicho antes que el cargo de gobernante imperial no era en absoluto hereditario, nadie en el seno familiar dudaba de que aquel muchacho sería, andando el tiempo, quien rigiera sus destinos en el más alto puesto de la nación.

Así, junto a su cuidada educación infantil, al alcanzar la pubertad comenzó a ser instruido en las artes de las armas, tan imprescindibles para un mero soldado como para un futuro líder de su pueblo, que a la vez que emperador tenía que ser comandante en jefe de todo su ejército y responsable directo, por tanto, de sus victorias y de sus derrotas.

Destacó pronto como excelente guerrero, y sus maestros en la materia supieron que no tenían por qué preocuparse en el futuro, y si aquél iba a ser su rey, los triunfos militares aztecas continuarían engrandeciendo el imperio. No era un muchacho violento ni belicoso, pero estaba bien dotado para la estrategia y el uso de las armas, tanto como parecía estarlo en otras asignaturas más pacíficas, como la política o los conocimientos generales que formaban su plan de estudios.

Moctezuma parecía hombre prudente y sabio, muy capaz de empuñar las riendas del poder supremo de su pueblo, lo cual satisfacía plenamente, no sólo a sus maestros, sino al consejo que había de confirmar en el futuro el nombramiento del nuevo rey que tenía que suceder a Ahuitzotl en el trono. Como en muchos casos, su primer paso, llegado el momento, sería convertirse a su vez en maestro durante un período de tiempo e impartir clases de todos sus conocimientos a otras jóvenes generaciones, antes de aspirar al más alto cargo de su imperio.

Moctezuma cumplió también perfectamente el cometido de enseñar a otros, y fue un maestro hábil y comprensivo con sus alumnos, muchos de los cuales llegaron a ser amigos suyos. Toda esa forma de vida, naturalmente, le fue alejando de las clases plebeyas con las que inicialmente llegó a mantener contacto, lo que le granjearía en gran parte la enemistad y el rencor de los menos pudientes y de los socialmente más débiles. Puede decirse de Moctezuma que mimó demasiado a la nobleza, en detrimento de sentirse más próximo al pueblo llano, y eso iba a jugar también en su contra llegado el momento.

Creció como un joven morigerado en sus actos, poco dado a amoríos y sentimentalismos —por otro lado, muy poco habituales entre los aztecas, especialmente en la clases altas—, y dedicó todos sus afanes a la política y las armas, seguro de que ésas iban a ser sus bazas principales si llegaba al cargo supremo de su pueblo.

Moctezuma era profundamente religioso, tal vez uno de los más influenciados por las profecías y las influencias de los dioses, y puede decirse que su integrismo religioso era absoluto, como había sucedido hasta entonces en todos los demás gobernantes y en la nación que habían de dirigir. Los sacerdotes sabían moldear a su antojo a los súbditos, y no iban a olvidarse de inculcar con mayor fuerza si cabe todas las convicciones de la fe a los elegidos para regir los destinos del imperio.

En el caso de Moctezuma, sin embargo, su tarea iba a resultar muy sencilla, porque el joven era de por sí profundamente creyente, y esa fe iba a llevarle a límites de absoluto fanatismo, que en nada beneficiaron a su reinado, al menos en su parte final.

Cuando cumplía treinta y seis años, Moctezuma subía por fin al trono imperial, como nuevo señor de los aztecas. Era 1502 y comenzaba un reinado que casi alcanzaría la cifra ritual y mágica de su pueblo, la veintena de años. Sólo dos le faltarían a Moctezuma para llegar a esa cifra tan significativa en las matemáticas de su pueblo. Pudieron haber sido esos veinte, e incluso más, pero la fatalidad iba a jugar en su contra, marcando su final como emperador y como ser humano.

Apenas subido al trono, se apresuró a introducir grandes cambios en relación con su antecesor, el *huey tatloani* Ahuitzotl, muchas de cuyas disposiciones cambió radicalmente, para sustituirlas por las suyas propias.

Procedió a destituir a todos los plebeyos de los puestos importantes, para sustituirlos por discípulos suyos, jóvenes nobles en los que Moctezuma confiaba ciegamente. Se ganó una serie de adeptos y subordinados fieles, sin duda alguna, a cambio de hacerse impopular entre la clase plebeya, cosa que no pareció importarle mucho.

Obviamente, Moctezuma era hombre de ideas fijas, orgulloso y arrogante, de una admirable presencia física y una personalidad intensa, cosas todas ellas que ocultaban en realidad un fondo débil y no demasiado firme, resentido sobre todo por su excesiva fe en las profecías y anuncios de sus dioses. Ello le hacía ser un hombre fatalista, para quien todo estaba ya escrito, y que ningún ser humano era capaz de alterar con su simple voluntad, ya que por encima de todos estaba la voluntad de sus divinidades.

Este fatalismo le impidió llevar a cabo muchas empresas que, tal vez, además de engrandecer su imperio, hubieran dado a éste más larga y segura vida, pero, infortunadamente para él y para su pueblo, Moctezuma arrastró siempre consigo ese complejo de sometimiento a los dictados de sus deidades, sin pensar jamás en que el libre albedrío del ser humano podía ser más fuerte que cualquier anuncio o presagio de sus creencias.

Paradójicamente, sin embargo, Moctezuma fue capaz de arrostrar empresas difíciles con gran decisión y arrojo, sin detenerse a medir sus consecuencias, seguro de que hacía lo mejor.

Es por ello que su mandato representó el final de la Triple Alianza, y trató por todos los medios de deshacerse de sus aliados, Texcoco y Tlacopán, dejando así como única cabeza del imperio el gobierno de Tenochtitlán, por él regido. Se ganó nuevos enemigos, evidentemente, pero eso a él le importaba poco, seguro como estaba de que la grandeza de su reino podía permitirle impunemente el lujo de acumular adversarios a los que no temía en absoluto. Políticamente, por tanto, caminaba hacia un absolutismo total, indisponiendo a los demás pueblos en su contra.

Pero nada había que temer. De momento, Tenochtitlán era más fuerte, más poderoso, y le temían demasiado para intentar nada contra ellos. Que el resentimiento se fuera acumulando en torno a la ciudad-estado, era algo que no preocupaba lo más mínimo ni al emperador ni a sus consejeros, y menos aún a los jefes militares, seguros de su superioridad sobre los demás.

Moctezuma dispuso toda clase de normas para asegurar la cohesión del imperio. Una de ellas, particularmente curiosa, fue aquella en que exigía, a todos los nobles que participaban en el gobierno de la nación azteca, que dejaran en la capital a un hijo o un hermano que pudiera servir de rehén para asegurarse la lealtad de todos ellos.

Por otro lado, ordenó la construcción de un gran templo, en el que se reunirían todos los dioses del imperio, cosa que debía contribuir a acercar las diversas naciones que estaban bajo su poder y que componían la estructura total del imperio. El gran templo fue levantado siguiendo sus directrices personales y, aunque logró el objetivo propuesto, vino a demostrar una vez más el integrismo religioso de aquel sistema de gobierno que todo o casi todo lo fiaba a los dioses y a sus designios.

Muchas obras sociales y políticas fueron cambiadas y mejoradas a lo largo del reinado de Moctezuma, quien se ganó el respeto y la veneración de sus súbditos, bien ajenos todavía a lo que se vendría encima no tardando mucho.

Pero los aztecas vivían aún ajenos a cualquier amenaza capaz de poner en peligro su poder y su hegemonía. Su esplendor estaba en el momento cumbre, no tenían enemigo temible alguno, sus victorias en los campos de batalla aseguraban su firme estructura y su independencia, y ninguna nube venía a ensombrecer tal perspectiva. Pese a todo, en lo más íntimo de Moctezuma persistían sus atávicos temores al caos predicho por los dioses, que estaba fijado para cualquier momento del futuro.

Tal vez por ello, y siguiendo el consejo de los sacerdotes, aumentaban cada vez más los sacrificios rituales, puesto que sus tradiciones decían que el sol estaba sediento de sangre y exigía sacrificios humanos para calmarse, y de ese modo seguir brillando en aquella Quinta Era fijada en la Piedra del Sol.

El mandato de Moctezuma se aproximaba a sus diecisiete años de duración cuando llegó 1519. Iba a ser el año decisivo, el principio del fin, porque los españoles, con Hernán Cortés al mando, iban a poner pie en México, y con ello comenzaría la conquista de aquellas tierras.

Anteriormente a esta fecha, comenzaron las preocupaciones de Moctezuma, no se sabe si fruto de su propio instinto o simplemente por una serie de obsesiones que iban a acabar marcándole de forma irremediable.

En 1516 o 1517, Moctezuma empezó a advertir signos negros, muy funestos, en el horizonte de su ciega fe religiosa. Él, que sin duda fue el más devoto de todos los emperadores aztecas, no podía permanecer indiferente a esa serie de negativos augurios que creía ver y sentir, en forma de cometas celestes, poderosos rayos luminosos, sin el sonido del trueno que les acompañara, e incluso auroras boreales que tal vez sólo estaban en su imaginación de creyente.

En vez de rebelarse contra ello, de reforzar el imperio y de aguardar a pie firme los posibles acontecimientos adversos que se presentaran, Moctezuma eligió el peor de los caminos posibles: se resignó, preparándose para algún inexorable castigo de sus dioses.

Esa pasividad aumentó con el tiempo, y cuando empezaron a llegar a los oídos de los pobladores de Tenochtitlán noticias que venían de la costa atlántica, hablando de unos hombres blancos y barbudos, conduciendo unos extraños animales —caballos— y utilizando tubos que escupían fuego, que habían llegado de los mares, Moctezuma, en vez de preparar a sus poderosas fuerzas militares para defender el imperio, estuvo en todo momento convencido de que aquella era la visita de unos seres sobrenaturales, enviados por los dioses, y cuya ira había que aplacar para que las oscuras profecías no llegaran a cumplirse.

Entonces, Moctezuma cometería el peor de los errores posibles: enviar emisarios y embajadores al encuentro de aquellos extraños venidos por designio divino, portando regalos y tesoros. No podía sospechar Moctezuma, en su equivocada visión del momento, que, más que aplacar a los recién llegados, a la vista del oro, la codicia de los que llegaban de allende los mares iba a verse despertada con mayor fuerza, seguros de que un inmenso botín les aguardaba al final del camino.

Porque aquellos enviados de los dioses no eran sino los conquistadores españoles en busca de nuevas tierras para su emperador Carlos, y su ambición y pocos escrúpulos no tenían nada de divinos precisamente, por lo que se vieron incentivados para avanzar por las nuevas tierras en busca de la riqueza que se les prometía tan fácil.

Moctezuma obró de buena fe, persuadido de que sus creencias eran verdaderas y de que podía evitar así grandes desgracias a su pueblo. No puede culpársele por ello, pero lo cierto es que en su ingenuidad estaba conduciendo a su pueblo y a toda una gran civilización hacia el desastre definitivo.

Cierto que acabaría reaccionando y dándose cuenta de su error, pero para entonces ya era demasiado tarde y sus medidas para impedir lo inevitable no conducirían a nada.

Para entonces, los españoles ya estaban muy adentrados en el territorio por conquistar, se habían ganado la alianza de algunos pueblos nativos, descontentos del trato del imperio, y por si ello fuera poco, pese a su notable inferioridad numérica, contaban con un jefe de particular arrojo y astucia, capaz de sacar partido de cualquier cosa que le fuera medianamente favorable.

Ese jefe era Hernán Cortés, el hombre designado por el destino para enfrentarse a Moctezuma, el último gran emperador azteca, en un duelo que comenzaría con parabienes, dádivas y ceremonias amistosas, para terminar en muerte y destrucción.

¿Culpa de Moctezuma? ¿Culpa de la codicia de los españoles? ¿Culpa de los dioses, como creían los aztecas?

Tal vez un poco de todo ello. La fatalidad jugó, efectivamente, su papel. Pero los hombres actuaron de modo que esa fatalidad no pudiera ser rebatida por nadie. Los hados adversos hicieron su juego, con la ayuda de la debilidad humana. Como ha sucedido siempre, o casi siempre.

Capítulo II

— La personalidad de Moctezuma II —

YA hemos dicho que Moctezuma II, o Moctezuma Xocoyotzin, sucedió al anterior *huey tatloani,* o rey-emperador, Ahuitzotl, de quien era sobrino. Todos los monarcas aztecas estaban emparentados entre sí, pese a que la suya no fuera una dinastía hereditaria. La subida al trono fue en 1502 y por aclamación unánime, sin votos en su contra.

Al parecer, Moctezuma fue elegido tanto por sus probadas aptitudes militares como por su carácter religioso, lo que hizo que sus demás hermanos no fueran tenidos en cuenta a la hora de elegir un nuevo rey.

Evidentemente, jugó a su favor una baza muy importante en aquella sociedad tan pronunciadamente teocrática, como era el hecho de que, al llegar el momento de la elección de monarca, Moctezuma fuera ya sacerdote del templo de Huitzilopochtli, lo que le hacía idóneo, a juicio del consejo y de su propio pueblo, para aspirar a ser quien ocupase el trono imperial de Tenochtitlán.

Una vez elegido rey, Moctezuma comprendió que no solamente su ejercicio como religioso podía satisfacer a su pueblo, sino que éste estaba necesitado de un guerrero, de un hombre que ampliara cada vez más los dominios de la comunidad azteca. Por ello, se volcó con mayor entusiasmo y dedicación en las tareas militares. Debía seguir el ejemplo de antecesores suyos, y sabía que ese ejemplo era el de proporcionar sonadas victorias a sus estandartes. Pendiente aún su coronación, en una impresionante y fastuosa ceremonia propia de la ocasión, cargó contra Atlixto en una campaña que él presumía fácil y que, realmente, lo fue. Le acompañaban en su operación militar su propio hermano, aquel en quien él más confiaba, y algunos notables jefes militares del país. La campaña se zanjó con una previsible victoria en la que consiguió hacer numerosos prisioneros al enemigo.

Trasladó victoriosamente a todos ellos hasta la capital y, con motivo de la ceremonia solemne de su nombramiento de emperador, sacrificó a los dioses a todos los prisioneros sin excepción, ceremonia que formó parte de los fastos del día. Ello nos puede dar una idea bastante exacta de la crueldad inherente a aquella monarquía teocrática, así como el escaso valor que los aztecas daban a la vida humana.

Las fiestas de su coronación fueron realmente brillantes, tal vez de las más destacadas de la breve historia de las subidas al trono azteca, aunque desgraciadamente marcadas también por la sangre humana vertida en los rituales. Moctezuma ya era rey-emperador de su pueblo, y las guerras de conquista debían continuar también, como otro ritual inevitable en cada monarca que reinara en el imperio azteca.

Su primera idea fue dar fin a la independencia de Tlaxcala, para lo que recurrió a una alianza con los reyes de Texcoco y Tlacopán. Consumada dicha alianza, reunieron sus tropas, cayendo de forma inesperada sobre la capital, seguros de una rápida victoria. No contaban, sin embargo, con que iban a enfrentarse a un hombre digno de ellos, capaz de dificultar seriamente sus planes. Ese hombre era Tizatlacatl, uno de los soldados más valerosos y preparados de la entonces república tlaxcalteca.

Con Tizatlacatl al frente de sus tropas, los invasores fueron rechazados con grandes pérdidas, lo que sorprendió desagradablemente a Moctezuma, que veía peligrar de forma inesperada su ya prevista victoria militar.

La lucha fue realmente feroz, hasta el punto de que los atacados tuvieron que defenderse heroicamente y el propio héroe local, el bravo Tizatlacatl, fue herido de muerte, falleciendo poco después en brazos de sus compañeros de lucha. Pero aun con esa decisiva pérdida, la batalla estaba decantada ya a favor de Tlaxcala, y Moctezuma y sus aliados se vieron obligados a retirarse.

Fue un duro golpe para el flamante emperador, que hubo de admitir su derrota y soportar aquel trago amargo, compartido por todos sus leales, y que el pueblo azteca soportó malamente, surgiendo las primeras dudas sobre la capacidad de gobernante y de jefe militar de Moctezuma, aunque de momento no pasaran de comentarios en voz baja y de rumores clandestinos atribuidos a los enemigos personales que el nuevo emperador pudiera tener entre su pueblo.

Por si ello fuera poco, nuevas complicaciones militares vinieron a dificultar las cosas a Moctezuma no tardando mucho, y de nuevo con el mismo origen: los tlaxtaltecas. En principio fue algo ajeno totalmente a Moctezuma e incluso a su ciudad-estado de Tenochtitlán, ya que se trataba de un contencioso entre Tlaxcala y los huexotzingas, sus eternos enemigos.

Envalentonados por su victoria sobre las huestes aztecas de Moctezuma, los tlaxcaltecas se alzaron en armas contra sus proverviales adversarios y vecinos, invadiéndoles y acorralándoles de tal manera, tras una serie de batallas en que les derrotaron estrepitosamente, que los amedrentados huexotzingas, súbditos y amigos de Tenochtitlán, pidieron desesperadamente ayuda al emperador Moctezuma.

Éste se decidió a enviarles un contingente militar, encabezado por su propio hijo, Tlacahuepantzin, en quien confiaba ciegamente por sus dotes militares. El hijo de Moctezuma, encabezando una gran fuerza armada, entró en territorio tlaxcalateca, sumó algunas victorias parciales, avanzó hasta Quanhquecholán y, una vez allí, dispuso que se le incorporaran las huestes de Iztzucán y Chietla. Con esa maniobra pensaba envolver a sus enemigos en una tenaza de enorme fuerza, capaz de vencerles sin remedio.

El hijo del emperador no contaba con la combatividad, astucia y capacidad militar de los soldados del ejército tlaxcalteca, quienes, al percatarse de la maniobra enemiga, decidieron olvidarse de sus cuitas y diferencias con los huexotzingas, y volcaron todas sus energías y su estrategia en hacer frente a los nuevos invasores.

Aunque faltaba su máximo caudillo, demostraron ser dignos discípulos suyos, porque lo cierto es que, cuando se produjo el enfrentamiento, pese al poderío militar azteca, éstos fueron clamorosamente derrotados, y en la feroz batalla pereció incluso el hijo de Moctezuma.

Puede suponerse cuál fue el dolor y desesperación del emperador azteca cuando supo la muerte de su hijo. Los funerales en Tenochtitlán fueron tan prolongados como penosos, y hasta llegaron a borrar en parte la humillación que para el imperio suponía la nueva derrota frente al mismo enemigo. Simultáneamente, en el corazón del dolorido padre nació un profundo sentimiento de odio y de afán de venganza.

Decidido a vengar como fuera la pérdida de su hijo, Moctezuma dispuso un ataque masivo contra el enemigo que causara tan seria pérdida. Reunió un poderosísimo ejército, reuniendo a todas las fuerzas militares disponibles en su imperio, así como apelando a la cooperación de los reyes de Tlacopán y de Texcoco. Con toda aquella enorme fuerza armada rodeó la provincia de Tlaxcala, procediendo a un ataque masivo por varios puntos a un mismo tiempo.

Parecía que esta vez iba a lograr la soñada victoria y vengar así al hijo muerto, pero de nuevo la adversidad jugó en su contra, y Moctezuma vio, desesperado, cómo, apenas salvadas las fronteras de Tlaxcala, los ejércitos de los tres reyes aliados eran estrepitosamente derrotados y deshechos, sin alcanzar ninguno de sus objetivos y teniendo que batirse en retirada tras la nueva humillación, que ya parecía definitiva.

Moctezuma parece ser que renunció para siempre a atacar aquella república que tanto se le resistía. Según algunos historiadores no fue así, y el emperador insistió en sus ataques a Tlaxcala, sin resultado positivo alguno, pero esta versión no resulta en absoluto fiable ni hay evidencias de que fuera realidad. Un historiador contemporáneo suyo, Xtlixochitl, coincide con esa posibilidad y afirma que hubo una nueva guerra contra el mismo enemigo, pero no hay históricamente nada que lo confirme. Además, debe tenerse en cuenta el hecho de que las crónicas de la época difieran muchas veces en cuanto a fechas concretas, por lo que es fácil confundir una campaña con otra, e incluso una guerra o un acontecimiento con otro.

De todos modos, lo que sí parece cierto es que el rencor anidaba en el pecho de Moctezuma desde el momento mismo en que se vio ante el cadáver de su hijo, y que no se detuvo en sus métodos para intentar acabar con los culpables de su muerte, aunque fuese recurriendo a terceras personas.

Así, se sostiene la posibilidad de que su rencor llegara hasta aborrecer en su interior al que fuera su fracasado aliado en aquella intentona, el rey de Texcoco, y tratara de hundir su poderío haciéndole mantener enfrentamientos con los tlaxcalatecas, hasta desgastar sus fuerzas, pese a que siempre fueran aparentemente fieles aliados. Si realmente fue así, ello nos retrataría a un Moctezuma intrigante y con dobleces insospechadas. Pero la verdad es que tampoco este extremo ha sido confirmado por los historiadores de su reinado.

Fuera como fuera, en 1504, solamente dos años después de su subida al trono, toda posible escaramuza militar, toda frivolidad castrense, tuvo que ser olvidada por los aztecas por la presencia de un enemigo al que no podía vencer con soldados ni con armas: el hambre.

Entre 1504 y 1505, la hambruna se adueñó de todo el imperio, como una calamidad imposible de vencer. Fue tal la situación creada, que hubo padres que se vieron en la obligación de vender a sus hijos, y se produjo la emigración masiva de muchas familias, en busca de lugares más fértiles y productivos. Fue como una maldición, una peste desoladora, que sembró el pánico y la desesperación en el pueblo azteca. Los sacerdotes la atribuían a un castigo de los dioses y Moctezuma confirmaba tal anuncio, como buen creyente que era.

Fuera como fuera, marcó un año aciago para el imperio, donde todos se olvidaron de luchas y de guerras expansivas, para centrarse en combatir aquella calamidad. Pero apenas hubo pasado aquel período de extrema penuria, las cosas volvieron a su cauce, y los aztecas a sus batallas y acciones militares.

La primera campaña organizada por Moctezuma, al reanudarse la normalidad, fue la de un ataque a los quauhtemaltecas, a los que venció sin demasiadas dificultades. Logró capturar una cuantiosa suma de prisioneros que, siguiendo la atroz costumbre, fueron sacrificados a sus divinidades, en esta ocasión como un signo de gratitud por el fin del azote del hambre y para seguir alimentando al sol, según su creencia.

Posteriormente se iniciaron nuevas campañas, en esta ocasión contra los iztecas, tecuhpetecas, itzicuintepecas y contra los habitantes de Atlixco, y en ellas Moctezuma logró salir triunfante, con lo que enmendó pasados fracasos y elevó su prestigio ante su pueblo. Tal vez por ello precisamente eligió tales adversarios, seguro de que en esta circunstancia no iba a ser posible el fracaso. Además, su furia bélica en estas ocasiones llegó tan lejos, que se permitió saquear sin piedad a todos los pueblos vencidos, dejando tras de sí una huella de destrucción y desolación que iba a hacer que los pueblos vencidos sintieran hacia el emperador azteca un sentimiento de miedo, de respeto, pero también de odio y rencor, que a la larga no iba a beneficiarle en nada.

Pero en plena euforia triunfante Moctezuma no podía prever nada de eso, y se embriagó en sus propias victorias militares, decidiendo proseguir con sus campañas, ahora atacando las ciudades de Mictlán y Tzolán, en 1507. Los habitantes de ambas urbes fueron derrotados y tuvieron que abandonarlas en poder del enemigo. Bajo el mandato de Moctezuma II, el imperio iba ampliando sus fronteras y sometiendo a los pueblos cercanos, en un incontenible avance de las tropas del emperador.

Quanhquecholán se había sublevado contra el imperio y Moctezuma, en este punto, se decidió a resolver el problema, lanzándose sobre los rebeldes sin contemplaciones, logrando así mismo una fácil victoria que aumentaba su fama de caudillo invicto, olvidando ya anteriores fracasos.

En 1508 lograba llevar Moctezuma a sus tropas hasta la América Central, en un afán expansionista que parecía no conocer límites, pero esta vez las cosas no pintaron tan bien para su planes militares, porque en la provincia de Amatlán tuvo dos enemigos enfrente con los que combatir: por un lado las fuerzas enemigas, dispuestas a no dejarse dominar, y por otro las inclemencias del tiempo, que causaron más bajas a los aztecas que el propio ejército adversario.

Esa campaña fue un fracaso que le obligó a replegarse, pero ello no aplacó su afanes expansionistas ni sus obsesiones militaristas, porque entre 1508 y 1512 llevó a cabo numerosas campañas, a veces aliado con otros pueblos amigos, lo que le permitió apuntarse sonadas victorias frente a Malinaltepec o Icpaltepec, así como a los yopitzingas y a los xochetepecas.

Su historial de triunfos en el campo de batalla no tardaría en ampliarse con otros éxitos castrenses, como la derrota de sus enemigos en Quetzalapán, Cuezcomaitxlahuarán y Cilmapohauloyán, al tiempo que asolaba otras varias poblaciones, que tuvieron que ser abandonadas precipitadamente por sus habitantes, atemorizados ante el azote de las tropas aztecas.

Estamos viendo, al seguir este historial militar de Moctezuma, que desde su elevación al trono dominaba más en él la faceta militar que la religiosa, aunque todas sus victorias, como era tradicional, las ofrendara a sus dioses. No cabe la menor duda, ante lo visto, que era un gran soldado y estratega, y que sus escasas derrotas no pueden empañar el resto de sus aplastantes victorias militares.

Su atrevimiento como caudillo de sus ejércitos fue tal, que le llevó a efectuar la más ambiciosa de sus campañas. Consistió ésta en llevar sus tropas hasta los mismos confines de la América del Centro con la del Sur, tras sus otras campañas en los territorios de Huexotzingo y Atlixco. De este modo, llegó a pasar las actuales Chiapas y Guatemala, hasta apoderarse de Honduras y de Nicaragua.

Todo esto, no cabe duda, corresponde a un gran conquistador, capaz de las mayores audacias y seguro de sus fuerzas. Por ello, tal vez choque más que, cuando le llegó el momento a él de ser el conquistado, no supiera reaccionar con la misma arrogancia y seguridad en sí mismo, marcando así negativamente su suerte y la de su imperio.

En lo personal, Moctezuma fue un hombre bastante paradójico, evidentemente. Le gustaba presumir de humilde, pero tenía poco de ello, porque era sumamente aficionado a la ostentación y a ser objeto de homenajes por parte de sus súbditos. En un empeño por dar mayor esplendor a su corte, no dudó en alejar de ella a todo aquel que no fuera noble de nacimiento: destituyó de toda función dignataria a los plebeyos, con la excusa de que éstos eran incapaces de tener elevados sentimientos.

Pero aun situando a su lado a la nobleza, no fue tampoco con ella demasiado blando, sino que acostumbraba a mostrarse soberbio y firme con los nobles, incluso los de más altos cargos. Les obligaba a ir descalzos en su presencia y solamente les permitía exhibir sus adornos en grandes y determinadas ceremonias, no permitiendo que nadie pudiera llevar adornos y tocados iguales a los suyos propios, y mucho menos superiores.

Se califica su mandato de despótico, así como de excesivo amor a los grandes lujos. Ciertamente, sus palacios eran deslumbrantes, disponía de una enorme servidumbre y con mucha frecuencia, sobre todo en las grandes solemnidades, comía en vajilla de oro puro.

Las joyas y adornos que solía lucir eran de tan gran valor como hermosa apariencia, y los tocados de plumas y tejidos que acostumbraba llevar consiguieron despertar incluso el asombro de personas como Hernán Cortés y sus compañeros, que no lograban explicarse el complejo arte con que habían sido realizados ni con qué instrumentos era posible labrar el oro y la plata o pulimentar las piedras preciosas del suntuoso vestuario del emperador.

Se puede decir que los entusiasmos bélicos de Moctezuma II tuvieron sin duda bastante que ver con los de su antecesor en el trono, de idéntico nombre, Moctezuma I, quien también sería un emperador sumamente teocrático y despótico, como lo fue luego su homónimo. Lo cierto es que ambos tuvieron también un punto en común que habla mucho en su favor: durante sus mandatos, no prosperó la corrupción, tal vez porque Moctezuma I y Moctezuma II fueron igualmente duros en la represión de todo posible desmán, y vigilaron muy de cerca a los mandatarios.

Teniendo en cuenta que Moctezuma II había elegido a todos sus mandatarios entre la nobleza, aún resulta más meritoria su labor en ese sentido, porque sin duda tuvo que ser más difícil controlar y dominar de tal modo a los posibles corruptos, siendo éstos de alta clase social, que a simples plebeyos más fáciles de manejar.

Ello nos habla, sin duda, de un Moctezuma II fuerte, duro, enérgico y autoritario, como ya hemos visto que realmente tuvo que ser el último gran emperador azteca.

Un retrato muy distinto al que puede ofrecernos el Moctezuma que se enfrentó a Cortés y sus hombres, en el que se advierten confianzas y debilidades muy alejadas del gran caudillo militar que supo llevar tantas veces a sus hombres a la victoria, incluso contra enemigos muy superiores en número, lo que no fue precisamente el caso contra los españoles.

Le faltó, sin duda, la ambición, la capacidad de lucha o, tal vez, menos fe en el destino funesto señalado por sus hados, en forma de premoniciones divinas, para afrontar desde un principio, y decididamente, la llegada de los extranjeros como lo que realmente eran, una amenaza contra su pueblo y su cultura, y no como él parecía pensar que eran, un cumplimiento de los avisos y anuncios de sus deidades.

Otra hubiera ha sido la suerte del pueblo azteca, al menos en aquella ocasión concreta; otra suerte la suya propia... y, por supuesto, otra muy distinta, y mucho menos gloriosa, la de Hernán Cortés en su papel de conquistador.

Pero eso queda para la Historia como lo que fue: meras hipótesis o suposiciones. La realidad, la cruda realidad para aquel poderoso imperio creado en la meseta americana, es la que escriben los acontecimientos acontecidos, nunca los que pudieron acontecer y nunca fueron.

Lo cierto es que Cortés y sus hombres desembarcaron en aquellas tierras y avanzaron por ellas sin apenas resistencia de sus naturales, ya que unos temían a aquellos hombres venidos de muy lejos, armados con extraños artilugios y cubiertos de refulgentes armaduras y cascos, y otros preferían hacerse aliados de los invasores para quitarse de encima el férreo y autoritario yugo de los aztecas.

Y eso sí que marcó el destino de Moctezuma.

Capítulo III

— Hernán Cortés —

HERNÁN Cortés era el hombre señalado por el destino para iniciar el derrumbamiento y exterminio del Imperio azteca. Aquel hidalgo extremeño, nacido en Medellín, Badajoz, en 1485, contaba solamente treinta y cuatro años cuando puso su pie en México, al frente de una fuerza escasa, de sólo quinientos hombres, que sin embargo iba a ser capaz de doblegar a todo un imperio con cuantiosas fuerzas militares, aunque mal armadas, infinitamente superiores en número a ellos.

Hernán Cortés, que jamás había oído hablar de los aztecas, y menos aún de un hombre llamado Moctezuma, emperador de un reino para él desconocido, estaba predestinado a enfrentarse a ellos, en su afán de conquistar nuevas tierras para su emperador. Y no solamente eso, sino que iba a acabar siendo su implacable verdugo y exterminador, en medio de una serie de incidencias y contrasentidos que no hicieron sino precipitar la tragedia.

No era Cortés sino uno de tantos extremeños que habían viajado al Nuevo Mundo atraídos por el sueño de poder y de riquezas que ello significaba. Pero no siempre fue un soldado ni un conquistador, ya que tras una estancia en la Española, en 1504, pasó posteriormente a la isla de Cuba, donde fue agricultor y ganadero, alternando esas tareas con las del comercio, así como con la búsqueda de oro.

Era de familia hidalga, como hemos dicho, hijo de Martín Cortés y de Catalina Pizarro. Estudió leyes en Salamanca, por lo que no era ningún iletrado, al revés de otros muchos aventureros que viajaron al Nuevo Mundo en busca de fortuna. Si por alguna cosa dejó Cortés los estudios, fue para viajar a las Indias. Fue escribano público en el Ayuntamiento de Azúa y llegó a ser secretario de don Diego Velázquez, así como tesorero de Cuba en 1511.

Por esas fechas, seguía sin saber nada de los aztecas ni de su imperio, ya que todo eso era desconocido para los españoles, que creían que, como mucho, los territorios inexplorados solamente acogerían tribus indígenas de vida rudimentaria y primitiva.

La suerte definitiva fue echada en 1518, cuando, tras una enemistad temporal con Velázquez, éste le encomendó una expedición hacia México. Precisamente el día de Jueves Santo de 1519 alcanza, como jefe de dicha expedición, el islote de San Juan de Ulúa, y levanta la ciudad de Villa Rica de la Vera Cruz, contrariando a los partidarios de Diego Velázquez, por lo que Cortés se desliga en ese punto de toda obediencia a Velázquez y se nombra a sí mismo capitán general y justicia mayor de la zona.

Al detectar que algunos de sus hombres pretendían desertar, volviendo a Cuba, decide destruir las naves que les han llevado hasta aquel territorio, y así todos sus hombres se ven forzados a proseguir adelante, sin posibilidad de retroceder. Ahí se inicia la marcha de Cortés y de sus tropas hacia la meseta del Anáhuac, donde se hallaba la ciudad de Tenochtitlán, la capital del Imperio azteca.

Como se ve, lentamente, paso a paso, el destino va fijando su camino y aproximando a los dos hombres, de forma involuntaria, hacia un punto común donde se entrecrucen sus sendas. Por un lado, Cortés con sus exploradores y conquistadores, dispuesto a tomar posesión de todo territorio nuevo, como ofrenda al emperador español. Por otro lado, Moctezuma en su trono azteca, ajeno a todo ello, pero con noticias que le van hablando y le van informando de la presencia y avance de los extranjeros hacia su ciudad.

Ellos dos se desconocen totalmente, pero poco a poco van oyendo hablar el uno del otro. Cortés oye en numerosas ocasiones el nombre de Moctezuma, al que todos parecen tener gran respeto y veneración, y al que otros odian por sentirse esclavizados por el poder de Tenochtitlán. Moctezuma escucha noticias que hablan de un hombre barbudo y autoritario que va al frente de los hombres llegados del mar, y al que llaman Cortés y todos tienen gran respeto. Sin conocerse todavía, ambos hombres empiezan a sentir curiosidad el uno por el otro, y así, de las cartas que posteriormente enviaría Cortés al emperador Carlos V, se desprende que el extremeño empezaba a sentir también gran respeto por el desconocido emperador de quien tanto oye hablar, y cuya autoridad y poderío no dejan de sorprenderle, y también de inquietarle, puesto que él está allí en plan de conquista y, a fin de cuentas, ese gran señor llamado Moctezuma puede ser un gran obstáculo para sus planes.

Sin embargo, en una de esas extrañas paradojas que nos ofrece el personaje de Moctezuma II, las cosas iban a discurrir por cauces muy diferentes a los que pudiera temer Cortés en los inicios de su viaje a través de México.

Porque aquel hombre autoritario, altivo, arrogante, caudillo victorioso de su pueblo, militar de probado valor y decisión, iba a mostrarse, por vez primera en su vida, débil y vacilante, inseguro y fatalista. Empezó por enviar embajadores y dignatarios para recibir y homenajear a sus invasores, como veremos en su momento, y a partir de entonces, aun sin darse cuenta él mismo, Moctezuma se iba convirtiendo en una especie de esclavo del español, en una simple marioneta en manos del invasor extranjero.

Choca esto en el Moctezuma que hemos seguido en su biografía militar, pero así fueron las cosas, para sorpresa inexplicable de historiadores y de estudiosos del Imperio azteca y de sus peculiaridades.

No atinó a captar el peligro que para él y su imperio suponía someterse amistosamente a una gente que no tenía nada de emisaria divina, ni tampoco de personas honradas o leales, sino más bien de seres taimados, astutos, desaprensivos y codiciosos.

Otra hubiera sido la historia, sin duda alguna, si Moctezuma hubiera obrado desde el primer momento como había actuado siempre frente a los pueblos y reinos de su tierra. Resulta difícil imaginar que, pese a la superioridad de recursos bélicos de los conquistadores, éstos hubiesen podido resistir una ofensiva en toda regla de los poderosos ejércitos aztecas lanzados sobre ellos masivamente.

Pero esto nunca sucedió, y es inútil pensar en lo que pudo haber sido y nunca fue. Por eso vamos a seguir ahora nuestro relato, alternándolo inevitablemente entre uno y otro bando, ya que paso a paso el destino iba a ir aproximando a uno hacia el otro, a Cortés hacia Moctezuma. Lo que cada uno pensaba del otro, antes del encuentro de ambos, es evidentemente parte de la propia historia y de sus personajes. Las acciones de ambos también constituyen el meollo mismo de la historia.

Ninguno sabía demasiado del otro. Cortés lo iba averiguando sobre la marcha, a través de emisarios, embajadores, y también de los pueblos amigos o enemigos de los aztecas con los que se iba encontrando en su ruta hacia Tenochtitlán. Moctezuma, encerrado en su palacio imperial, sabiendo del avance implacable del extranjero, siguiendo mentalmente sus movimientos, presintiendo su proximidad como la de un factor fatalista e inexorable.

Por eso la última etapa de la vida de Moctezuma no se puede entender ni estudiar sin tratar la vida del propio Cortés. Y por eso vamos a tratar de seguir a los dos en aquel juego del destino sobre el tablero de las tierras de México, elegidas para el encuentro final y el destino de ambos, no se sabe si por los dioses aztecas y sus funestos presagios o por designio del Dios único de los extranjeros que se proponían ocupar aquellas tierras y dominar a aquellas gentes en nombre de su propio emperador.

Sigamos por unos momentos al propio Hernán Cortés en los momentos iniciales de su aventura, sin descuidar por ello nuestra atención hacia la figura de nuestra obra, que no es otra que el emperador Moctezuma.

Porque cada movimiento, cada acción de los conquistadores, una vez desembarcados, es un factor determinante en la propia suerte actual y futura de Moctezuma.

Los navíos de Cortés abandonaron Cuba en febrero de 1519, después de sus dos escalas en Trinidad y La Habana. Sus fuerzas constaban de once naves, poco más de quinientos soldados más unos doscientos indios cubanos y negros, que eran los que efectuaban el duro trabajo de cargadores, así como todas las tareas más rudas y que precisaran de esfuerzo físico. Disponía de doce arcabuceros, más catorce piezas artilleras, quince caballos y una jauría de perros de presa, animales grandes que los aztecas no habían visto jamás, ya que las razas de perros por ellos conocidas eran las pequeñas e inofensivas, que, como hemos dicho, utilizaban bien como animales domésticos, bien como producto alimenticio.

Formaban parte de esa expedición, así mismo, carpinteros y escribanos, dos clérigos, un médico y varias mujeres. Entre éstas iba a figurar una que sería clave en las maniobras y tratos de Cortés con los indios e incluso con los propios aztecas, puesto que iba a servir de intérprete entre uno y otros. De eso hablaremos más adelante.

Lo cierto es que la expedición española encargada por don Diego de Velázquez, el gobernador de Cuba, a Hernán Cortés, siguió una ruta ya conocida por viajes anteriores de otras expediciones, esto es, bordeando la costa norte de Yucatán, por lo que tuvieron un inevitable enfrentamiento con los mayas en Potochán, junto al río Tabasco.

Los mayas, otra de las grandes civilizaciones precolombinas, posiblemente la principal de todas ellas, eran mucho más antiguos, establecidos en aquellas tierras desde el siglo III, aunque su mayor esplendor tuvo lugar precisamente en los siglos VII y VIII, que es cuando levantaron grandiosas urbes, como Copán, Tikal o Palenque, auténticas ciudades-estado, con palacios resplandecientes, edificaciones grandiosas y los inevitables lugares de culto para los dioses, ya que también allí la estirpe dominante era la de los sacerdotes.

Tuvieron una época de decadencia económica y cultural, pero con la llegada de los pueblos toltecas a finales del siglo X, propiciaron un nuevo florecimiento urbano, especialmente en la península de Yucatán. Los invasores asumieron de forma progresiva la cultura tradicional maya, integrándose paulatinamente en ella. Al final, en el siglo XIII, la tribu tolteca fue derrotada por una liga de estados mayas, lo que marcó la hegemonía decisiva de éstos.

Viene todo esto a cuento por el hecho de que, a partir de 1450, las luchas intestinas de los propios mayas, debilitando la unidad política de aquella civilización y provocando la disgregación del imperio, hizo que la llegada de los españoles a sus tierras fuera favorecida por esa propia decadencia del sistema, lo que facilitó la rápida conquista del que en tiempos fuera orgulloso y poderosísimo imperio.

Tras otro combate entre las fuerzas de Cortés y los mayas, en Centla, que concluyó con la derrota total de estos últimos, los vencidos ofrecieron a los conquistadores oro, comida y mujeres, que ellos aceptaron de muy buena gana. Y aquí entra en escena un personaje que había de resultar decisivo en las relaciones de Cortés con otros pueblos indios, especialmente con el azteca.

Entre las mujeres donadas por los mayas a los españoles, había una en concreto que atrajo de inmediato la atención y el interés del hidalgo extremeño. Se trataba de una princesa maya, de nombre Malinalli, que en maya significaba «hierba». Había sido princesa tiempo antes, pero su padrastro y su desnaturalizada madre, deseosos de que un hermanastro ocupara el trono, se deshicieron de ella, vendiéndola a unos comerciantes mayas.

Esa joven formaba parte de la donación de veinte mujeres hecha por los mayas a los españoles. Ella hablaba el *náhuatl* —la lengua de los aztecas—, era hermosa y se convirtió en la pareja de Cortés. Los españoles la llamaron siempre respetuosamente por su nombre españolizado, que fue el de «doña Marina».

Gracias a ella y a sus servicios como intérprete, iba a lograr Cortés no solamente comunicarse con los aztecas llegado el momento, sino con el propio Moctezuma. Era un sistema de traducciones algo lento, pero funcionaba. Cortés hablaba castellano; Jerónimo de Aguilar, un náufrago que había vivido entre los mayas, y a quien el español rescató a su llegada, traducía las palabras castellanas al maya, y Marina se encargaba de traducir a su vez al náhuatl.

Pero lo cierto es que Marina no iba a limitarse a su papel de simple traductora. Al ser princesa por nacimiento, poseía un profundo conocimiento sobre la nobleza de aquellos pueblos y conocía muy bien sus puntos débiles. Todo consejo u orientación que ella daba a Cortés venía siempre a redundar en beneficio para la expedición española y solía conducirles a una victoria más.

Era mujer de gran belleza, como hemos dicho, y se había enamorado profundamente del español, con quien tuvo un hijo llamado Martín. Al extremeño no le era difícil seducir mujeres, porque poseía en su currículum una larga experiencia en la materia, que incluso había provocado ciertos escándalos en Cuba, que incluso dieron por un tiempo con sus huesos en la cárcel, y que si se arreglaron fue por intercesión del gobernador Velázquez.

Tras haber fundado la actual Veracruz, como vimos antes, Cortés estudió la situación del mundo en que se hallaba y pronto se percató, porque era inteligente y muy agudo de ideas, de que allí no existía poder central alguno y que el amplio país se hallaba dividido en decenas de pequeños estados, sometidos a la tiranía de un poder más absoluto y dominante, que era el que ejercíase desde Tenochtitlán, la capital-estado más grande y poderosa de todas, y que, valiéndose tanto de su fuerza militar como de su enorme poder teocrático, a través de su fundamentalismo religioso controlaba la mayor parte del que hoy en día constituye el centro de México.

Pulsó de inmediato el factor favorable de que, tanto los sometidos ya al poder azteca de Tenochtitlán, como aquellos que, a duras penas, resistían aún los embates de su dominador, eran fácilmente manejables para convencerles de que se pusieran en pie de guerra contra su tirano. Sólo bastaba levantar la bandera de aquella rebelión. Y en ese sentido, Cortés no tenía la menor dificultad en hacer de abanderado, llegado el momento.

Sucedía, sin embargo, que Cortés tenía expresamente prohibido por su protector y mecenas, don Diego Velázquez, iniciar cualquier acto de conquista. Para eso puso otra vez en juego su astucia, fundando la Villa Rica de la Vera Cruz, que le permitió dimitir de su cargo, y manejando a su antojo el Ayuntamiento de la nueva ciudad —que no era sino un organismo creado por él— hizo como si éste le encargara la conquista, puesto que los ayuntamientos sólo podían responder ante el emperador español y ante nadie más.

La jugarreta le indispuso definitivamente con Velázquez, furioso por el engaño de Cortés, pero le permitió convertirse en el capitán y jefe supremo de su gente, responsable único de cuantas empresas deseara realizar, invocando el nombre del rey para ello. Fue por esa razón por la que hizo hundir las naves, conjurando así el riesgo de deserciones no deseadas. Su gente, así, de buena o de mala gana, se vio forzada a seguirle adondequiera que fuera.

Su primera etapa iba a finalizar en Tlaxcala, territorio que hasta entonces se había logrado mantener independiente, pese a los embates de las fuerzas de Tenochtitlán, y cuyos habitantes, en un primer momento, se enfrentaron fieramente a los españoles, porque en realidad pensaban que éstos formaban parte de las tropas de Moctezuma, enviadas para someterles.

Al descubrir que no era así, rindieron sus armas a los españoles, se hicieron aliados de Cortés y le fueron siempre fieles, aceptando antes el dominio de un lejano emperador, al que no conocían, que el poder temido y odiado del poderoso Moctezuma.

Gracias al apoyo de los valerosos guerreros tlaxcaltecas, los extranjeros pudieron apuntarse una gran victoria al conseguir entrar en la ciudad santa de Cholula, en el centro del territorio mexicano.

Pero una vez ocupada la ciudad, varios miles de guerreros locales, disfrazados de inofensivos obreros y cargadores, preparaban un ataque a traición contra las fuerzas de Cortés. La astuta Marina consiguió enterarse a tiempo de ello, avisó a su amado Cortés de lo que se preparaba, y la prevista emboscada terminó en un sonado fracaso. De no haber mediado, pues, el papel de Marina en aquella circunstancia, es probable que ése hubiera sido el fin de Cortés y de su gente, y que la conquista del Imperio azteca hubiera tenido que esperar a otro tiempo y otras gentes.

La marcha siguió adelante, como el propio Cortés resume en una de sus «cartas de relación a Carlos V», gracias a las cuales podemos seguir los acontecimientos en versión absolutamente directa, de primera mano, a través de la palabra escrita por el propio Cortés:

«Yo fui, muy poderoso señor, por la tierra y señorío de Cempoal, tres jornadas donde de todos los naturales fui muy bien recibido y hospedado; y a la cuarta jornada entré en una provincia que se llama Sienchimalen, en la que hay en ella una villa muy fuerte y pesta en recio lugar, porque está en una ladera una sierra muy agra, y para la entrada no hay sino un paso de escalera, que es imposible pasar sino gente de pie (...) y esto es del señorío de aquel Mutezuma[1].

---

[1] En todos los escritos originales de Hernán Cortés podremos ver que llamaba «Mutezuma» al emperador azteca, ya que fue engañado en su oído por la pronunciación de la «O», que entre la gente de la meseta mexicana se pronunciaba muy cerrada, como una «U».

Y aquí me recibieron muy bien y me dieron muy cumplidamente los bastimentos necesarios para mi camino, y me dijeron que bien sabían que yo iba a ver a Mutezuma, su señor, y que fuese cierto que él era mi amigo y les había enviado a mandar que en todo caso me hiciesen muy buen acogimiento, porque en ello les servirían; y yo les dije que vuestra majestad tenía noticias de él y que me había mandado que yo le viese, y que no iba yo a más de verle (...) a la bajada de dicho puerto están otras alquerías de una villa y fortaleza que se dice Ceyxnacan, que asimismo era del dicho señor Mutezuma, que no menos que los de Sienchimalen fuimos bien recibidos y nos dijeron de la voluntad de Mutezuma lo que los otros nos habían dicho, y yo así mismo los satisfice.»

Vemos por este fragmento de los inicios de una de las muy largas cartas redactadas por Cortés a su emperador, Carlos V, que alude con frecuencia al buen recibimiento por parte de los pueblos mexicanos, incluso aliados o sometidos a Moctezuma, y aunque ya hemos dicho siempre que no es muy de fiar la palabra de Cortés al cien por cien, y que el extremeño tuvo tanto de audaz como de manipulador y embustero, se aprecia por todo lo escrito que era mucho ya lo que Cortés había oído hablar de Moctezuma, aun sin conocerle ni remotamente, y que el propio Moctezuma también sabía de él y esperaba su llegada, con una pasividad y buena fe que, por cierto, nada casa con el temperamento y carácter habitual del azteca, a menos que siguiera empecinado en creerse ante la materialización de las premoniciones divinas sobre la llegada de los enviados de los dioses.

Sea como sea, hemos visto, de puño y letra del propio conquistador, cómo se iba produciendo el avance de los españoles, sin demasiada resistencia ni oposición violenta por parte de los distintos pueblos del imperio. En su momento iremos viendo diferentes párrafos de lo que, pese a ser solamente cartas a su rey, constituyen un documento excepcional de toda una época y un momento históricos, a través de la pluma de uno de sus protagonistas, conocedor directo de Moctezuma, amigo suyo en principio, y luego enemigo, aunque con matices, bastante paradójicos y desconcertantes por cierto, que ha dejado así constancia de primera mano de todos aquellos hechos, más o menos manipulados en su beneficio, eso sí.

Hernán Cortés fue el primer español que escribiría con caracteres latinos una lengua que nunca se había escrito fonográficamente, como era la nahuatl o azteca, ya que no poseía signos fonéticos que tuvieran correspondencia alguna con las palabras de dicha lengua. Tal vez por ello, muchos nombres de personas, lugares y cosas no tienen una transcripción muy fiable, puesto que eran simplemente tomadas de oído.

Pero el documento en sí es muy valioso para seguir las incidencias de aquella marcha que en realidad, a través de los escritos del propio Cortés, parece algo así como un paseo amistoso —cuando le conviene que así parezca—, para convertirse en gesta militar y heroica cuando conviene a sus intereses. Lo cierto es que esa marcha tuvo sus altibajos, y que en realidad Cortés tenía una meta bien definida, aunque la disfrazara con circunloquios, que era la de llegar hasta el emperador o *huey tatloani*, en este caso Moctezuma, para convertirse en el conquistador de aquel imperio y someter a su rey al servicio del emperador español. Todo lo demás son excusas, mejor o peor pergeñadas para dar a su avance un cariz amistoso que en realidad distaba muy mucho de tener.

Hasta llegar a la vista de Tenochtitlán, capital del imperio, habían de transcurrir muchas jornadas de descanso en medio de un ambiente amistoso de tribus o pueblos acogedores, o de batalla cruenta contra pueblos más aguerridos y rebeldes, aunque casi siempre con el común denominador de una hostilidad manifiesta hacia el poder de Tenochtitlán y de Moctezuma, que no hacía sino beneficiar a los conquistadores, quienes así unían, a sus reducidas fuerzas armadas, el apoyo valiosísimo de aquellos nativos dispuestos a apoyarles en lo que consideraban su liberación.

No se daban cuenta exacta de que ni de lejos se liberaban así de nada, puesto que iban a cambiar una dominación, la de Moctezuma y el Imperio azteca por la de los conquistadores y el Imperio español, con lo que continuarían siendo tan sometidos como lo eran antes.

Moctezuma, en realidad, sabía de la existencia de Cortés a través de las noticias que recibiera en su momento de la derrota de los mayas, que, si bien logró inquietarle, le hizo tomar una decisión equivocada, al elegir mostrarse amistoso con los extranjeros, e incluso enviar a su encuentro una comitiva con todos los parabienes del emperador azteca.

Lo cierto es que el mensajero enviado por Moctezuma colmó de valiosos regalos a los conquistadores. Cortés, astutamente, para medir la riqueza real de aquel pueblo, entregó al emisario de Moctezuma un casco metálico, invitándole a que se lo devolviera lleno de oro, como prueba de la buena fe y amistad de Moctezuma hacia su persona.

El emisario llevó el mensaje y el casco a Moctezuma. Y de nuevo éste cayó en el error, en su empecinamiento por ser grato a sus visitantes de allende el mar. No sólo llenó de fino oro en polvo el casco de Cortés, sino que añadió dádivas de gran valor, así mismo en oro puro, que fueron entregadas al capitán español, en prueba de amistad.

Cortés, ante el valor de aquellos regalos, muchos de ellos de oro macizo, se dio cuenta de la enorme riqueza que tenían amasada los aztecas, y su natural codicia entró en juego, dictándole la necesidad imperiosa de conquistar aquel imperio tan rico.

Pero su astucia le hizo ocultar del mejor modo posible sus verdaderas intenciones a los emisarios de Moctezuma, y se limitó a expresar sus deseos de llegar a encontrarse personalmente con él, para rendirle tributo, a la vez que Moctezuma podía rendir tributo al «gran señor y emperador» de su tierra española, allá en la distancia.

Hemos visto que Cortés lleva su hipocresía en ese punto incluso a sus propias cartas escritas a Carlos V, donde siempre habla de ir en busca de Moctezuma para conocerle, sin expresar abiertamente sus sueños de conquista, de expolio e incluso de destrucción definitiva de todo un imperio, cuya debilidad al creer en su buena fe iba a pagarla con creces no tardando mucho.

En sus anteriores enfrentamientos iniciales, sobre todo con los tlaxcaltecas, los españoles sufrieron inevitablemente bajas, entre ellas quince mortales. Cortés, sabedor de que los nativos les creían inmortales, se apresuró a dar órdenes para que los muertos fueran enterrados en el máximo secreto, para de este modo evitar que los habitantes de aquellos territorios llegaran a sospechar que ellos eran tan mortales como los demás.

Ésta es una evidencia más de lo astuto y rápido que era el extremeño a la hora de tomar decisiones. No dudaba en torturar e incluso ordenar la ejecución inmediata de cualquier enemigo, para obtener la confesión de alguna celada tendida contra ellos o para castigar la más mínima deslealtad. Del mismo modo que, a la hora de embarrancar sus barcos para evitar deserciones, hiciera ahorcar a varios de sus propios subordinados por pretender regresar a Cuba como fuera, llegado el momento no vacilaba su mano ni su autoridad para dar órdenes de tortura o muerte contra cualquier prisionero.

Él justificaba estos crueles hechos con la excusa de que en la guerra todo es lícito, y aquélla no dejaba de ser una guerra, aunque nadie la hubiera declarado formalmente. Sin otro mando por encima que el del lejano emperador español, resultaba difícil, por no decir imposible, revocar cualquier orden emanada directamente de Cortés.

En el bando opuesto, tampoco Moctezuma era de los que vacilaban a la hora de ordenar ejecuciones sumarísimas si era necesario, por lo que en ese sentido ambos bandos andaban bastante equilibrados, y a la astucia implacable del conquistador se enfrentaba el autoritarismo de un rey habituado a que su palabra fuera ley y a que sus campañas culminaran en la victoria.

Era, pues, un enfrentamiento de dos hombres capaces de cualquier cosa. Si algo les diferenciaba en aquellos instantes, era que el extranjero invadía sus tierras sin ningún tipo de miramiento ni freno, y por contra Moctezuma sí se sentía frenado por sus creencias y su fatalismo, que deformaban la imagen que hubiera debido tener de la presencia de los intrusos en su tierra. Aquella tierra que los españoles bautizaron con el nombre de Nueva España, y cuyo corazón era Tenochtitlán, la ciudad-estado donde gobernaba el emperador de los aztecas.

Los caminos para intentar alcanzar aquella mítica ciudad eran varios, pero Cortés eligió Cholula, la ciudad santa, donde estuvo a punto de morir con sus hombres en la emboscada que Marina descubriera tan oportunamente.

Por cierto que, sobre ese supuesto descubrimiento de la princesa maya amante de Cortés, existen historiadores que no se muestran demasiado de acuerdo y sostienen que todo fue una sospecha sin fundamento del propio Cortés que, temeroso de sufrir una emboscada por parte de quienes habían aceptado de buen grado su llegada, se tomó una exagerada represalia, haciendo destruir los templos, masacrar a los sacerdotes y arrasar la ciudad al completo.

Tras este incidente sangriento, los conquistadores siguieron adelante, sabiéndose cada vez más próximos a Tenochtitlán, donde aguardaba pacientemente Moctezuma, impresionado por las noticias que recibía sobre el paso de los extranjeros, y entre temeroso e indeciso por el momento en que debía de encontrarse con su visitante.

A su paso por otras ciudades, como Caluanalcan y Temixtitan, el propio Cortés sigue con sus descripciones personales y las circunstancias del viaje:

«Otro día después que a esta ciudad llegué, me partí y, a media legua andada, entré por una calzada que va por medio de esta dicha laguna, dos leguas hasta llegar a la gran ciudad de Temixtitan que está fundada en medio de la dicha laguna, la cual calzada es tan ancha como dos lanzas y muy bien obrada, que pueden ir por toda ella ocho de caballo a la par y en estas dos leguas de la una a la otra parte de dicha calzada están tres ciudades y la una de ellas, que se dice Misicalcingo, está fundada la mayor parte de ella dentro de la dicha laguna, y las otras dos, que se llaman la una Niciana y la otra Huchilohuchico están en la costa de ella y muchas casas de ellas dentro, en el agua.»

La ruta de Cortés siguió hacia Iztapalapa, que era la ciudad regida por el hermano de Moctezuma, Cuitláhuac, a la que deseaban llegar los embajadores-guías que se habían puesto a disposición del español. Debido a que Cuitláhuac era la que más resistencia había opuesto al hecho de admitir a los españoles pacíficamente, hay dudas sobre si la insistencia de los embajadores era por la voluntad del propio hermano de Moctezuma, de hacer olvidar esa oposición suya, o si solamente se trataba de un intento desesperado por demorar la llegada de los españoles a Tenochtitlán.

Pero lo cierto es que toda la diplomacia desplegada por Moctezuma se le descubría a Cortés cada vez con más convicción de que se trataba de una actitud vacilante, insegura, que iba confirmando a medida que se encontraba con pueblos y ciudades hostiles al monarca azteca. Eso, a su vez, le convertía a él en una persona más firme y decidida, dispuesta a aprovecharse de esa debilidad de Moctezuma en beneficio propio.

Fuera como fuera, la llegada de los españoles a Tenochtitlán no se prolongó por mucho tiempo más, y se avecinaba ya el 8 de noviembre de 1519, fecha clave para todos los personajes de la tragedia, ya que señalaría la llegada de Cortés a la capital del imperio de Moctezuma.

Capítulo IV

— El encuentro —

Tras cruzar montañas salpicadas de volcanes, entre los cuales destacaba el Popocatépetl, a más de cinco mil metros de altura, los españoles tendrían franca su llegada a la capital.

Desde la cima del citado volcán, les fue dado admirar a los españoles una visión maravillosa. Desde allí era posible distinguir varias ciudades y lo que parecía un mar por sus dimensiones, pero que era solamente un lago, el Texcoco, sobre el que se levantaba la gran urbe de Tenochtitlán.

Aquel 8 de noviembre llegaban al fin los españoles a las puertas de la más majestuosa ciudad de todo el imperio, y el propio Moctezuma salía a recibirles.

Tan fausto acontecimiento, el encuentro de los dos hombres, se producía por fin. Existen diversas descripciones de ese encuentro, pero ¿quién mejor que el propio Hernán Cortés para decirnos cómo fue exactamente?

Así lo dejó escrito en sus cartas el conquistador español:

«Y así seguí aquella calzada y a media legua antes de llegar al cuerpo de la ciudad, a la entrada de otra calzada que viene a dar de la tierra firme a esta otra, está un muy fuerte baluarte con dos torres cercado de muro de dos estados, con su pretil almacenado por toda la cerca que toma con ambas calzadas y no tiene más de dos puertas, una por donde entran y otra por donde salen.

Aquí me salieron a ver y hablar hasta mil hombres principales, ciudadanos de la dicha ciudad, todos vestidos con una manera de hábito y según su costumbre, bien rico, y llegados a hablarme cada uno por sí, hacia en llegando a mí una ceremonia que entre ellos se usa mucho, que ponía cada uno la mano en tierra y la besaba y así estuve esperando casi una hora hasta que cada uno hiciese su ceremonia.

Y ya junto a la ciudad está un puente de madera de diez pasos de anchura y por allí está abierta la calzada por la que tenga lugar el agua de entrar y salir, porque crece y mengua, y también por fortaleza de la ciudad, porque quitan y ponen algunas vigas muy luengas y anchas de que el dicho puente está hecho, todas las veces que quieren, y de éstas hay muchas por toda la ciudad, como adelante, en la relación que de las cosas de ella haré, vuestra alteza verá.

Pasado este puente, nos salió a recibir aquel señor Mutezuma con hasta doscientos señores, todos descalzos y vestidos de otra librea o manera de ropa asimismo bien rica a su uso y más que la de los otros venían en dos procesiones muy arrimados a las paredes de la calle, que es muy ancha y muy hermosa y derecha, que de un cabo se parece el otro y tiene dos tercios de legua de la una parte y de la otra muy buenas y grandes casas, así de aposentamientos como de mezquitas, y el dicho Mutezuma venía por medio de la calle con dos señores, el uno de la mano derecha y el otro de la izquierda, de los cuales uno era un grande señor y el otro era su hermano del dicho señor Mutezuma, señor de aquella ciudad de Iztapalapa de donde yo había partido aquel día, todos vestidos de una manera, excepto el señor Mutezuma, que iba calzado (...). Yo me apeé y le fui a abrazar solo y aquellos dos señores que con él iban me detuvieron con las manos para que no le tocase y ellos y él hicieron asimismo ceremonia de besar la tierra y, hecha, mandó aquel a su hermano que venía con él que se quedase conmigo y me llevase por el brazo y él con el otro se iba delante de mí poquito trecho.»

Así relataba el propio Cortés su experiencia del primer encuentro, cara a cara con Moctezuma, a las puertas mismas de Tenochtitlán. Sigue el conquistador narrando con amplitud las ceremonias del recibimiento, que llegó a impresionarle incluso a él, que pocas cosas lograban impresionarle ya en este mundo.

Lo cierto es que hubo en aquel encuentro un curioso intercambio de regalos. Cortés llevaba puesto un collar de cuentas de vidrio con diseños de colores enhilado en oro y perfumado con almizcle, que se llamaba «de margaritas». Se despojó de él para ponérselo al emperador. Camino ya del interior de la ciudad, llevando a Cortés de su mano el hermano de Moctezuma —como el propio Cortés nos ha descrito—, llegó un emisario con un envoltorio que entregó a Moctezuma (al que nadie se podía aproximar), y en esta ocasión el emperador azteca se volvió hacia atrás y, con sus propias manos, ante el asombro de su corte, puso en el cuello del extremeño *dos collares de camarones que eran hechos de huesos de caracoles colorados que ellos tienen en mucho cariño* (según palabras utilizadas por Cortés), *y de cada collar colgaban ocho camarones de oro, de mucha perfección, tan largos casi como un geme,* concluye en su relato el conquistador.

Al parecer, éstas eran las insignias correspondientes al dios Quetzalcóatl, y por tanto el mayor de los honores posibles para un visitante extranjero.

Hay que tener en cuenta que el mito del dios Quetzalcóatl es una de las claves fundamentales, tal vez la mayor, del mundo religioso de los *mexicas* y un argumento fundamental que nos explica la importancia de la recepción que hemos relatado aquí tal como el propio Cortés la describió. Los españoles en esos momentos no tenían la menor idea sobre la trascendencia de aquellos ritos, pero para Moctezuma, como anfitrión de su visitante, cobra especial relieve y da idea de lo mucho que esperaba y confiaba el emperador azteca de aquel hombre llegado de tan lejos.

Se cuenta en la mitología *mexica* que Quetzalcóatl era en principio un sacerdote de nombre Huemac, que enseñó a los toltecas la civilización, les adoctrinó y les predicó una moral concreta. Pero contra él se produjo una revolución religiosa, que fue encabezada por Tezcatlipoca, que era el principio opuesto a él, es decir algo así como los dos términos de cualquier tipo de religión de carácter agonalduista, es decir, el blanco y el negro, el bien y el mal.

Tezcatlipoca logra derrotar a Quetzalcóatl, quien se ve obligado a emigrar a causa de su derrota, haciendo un amplio recorrido que ha de llevarle hasta la península de Yucatán, desde donde se marcha a Oriente, prometiendo regresar un día para castigar a los súbditos de aquellas tierras y señorear el lugar definitivamente.

Es el mito más importante de la religión azteca y el que dio pie precisamente a las convicciones de Moctezuma en torno a los extranjeros, a quienes consideró como una reencarnación o emisarios de aquel dios.

Pero no terminó aquí, ni mucho menos, el recibimiento triunfal y generoso a los españoles por parte de Moctezuma. Antes al contrario, aquellas ceremonias y regalos eran solamente el principio de unos fastos en honor de su visitante como difícilmente hubiera podido imaginar Cortés durante su recorrido hasta Tenochtitlán.

Así, explica en otro punto de sus cartas:

«Y dende a poco rato, ya que toda la gente de mi compañía estaba aposentada, volvió con muchas y diversas joyas de oro, plata, plumajes y hasta cinco o seis mil piezas de ropa de algodón, muy ricas, de diversa manera tejidas y labradas, y después de habérmelas dado se sentó en otro estrado que luego le hicieron allí junto con el otro donde yo estaba, y sentado propuso de esta manera:

—Muchos días ha que por nuestras escrituras tenemos de nuestros antepasados noticias que yo ni todos los que en esta tierra habitamos no somos naturales de ella sino extranjeros y venidos a ella de partes muy extraña y tenemos asimismo que a estas partes trajo nuestra generación un señor cuyos vasallos todos eran, el cual se volvió a su naturaleza y después tornó a venir dende en mucho tiempo y tanto, que ya estaban casados los que habían quedado con las mujeres naturales de la tierra y tenían mucha generación y hechos pueblos donde vivían y, queriéndolos llevar consigo, no quisieron ir ni menos recibirle por señor y así se volvió, y siempre hemos tenido que los de él descendiesen habían de venir a sojuzgar esta tierra y a nosotros como a sus vasallos y según de la parte que vos decís que venís, que es adonde sale el sol, y las cosas que decís de ese gran señor o rey que acá os envió, creemos y tenemos por cierto, él sea nuestro señor natural y por tanto vos sed cierto de que os obedeceremos y tendremos por señor en lugar de ese gran señor que vos decís y que en ello no habrá falta ni engaño alguno...»

Resulta realmente admirable la forma en que tradujo Cortés las palabras de Moctezuma —las primeras palabras pronunciadas por el emperador azteca que llegan traducidas a nosotros, y de primera mano por cierto, ya que sin duda con la ayuda de doña Marina consiguió el español traducir tan a la perfección la acogida verbal de Moctezuma—, y ello constituye una de las partes más importantes del documento, porque nos ofrece ni más ni menos que la propia voz y expresiones de un azteca, y además de un rey o emperador como Moctezuma.

Y aun prosigue Cortés traduciendo y reproduciendo las palabras pronunciadas por el azteca, como una exclusiva maravillosa que nos permite, por única vez, algo así como «escuchar» su voz y saber cómo se expresaba y cuáles eran sus ideas concretas en aquel momento.

«Y bien podéis en toda la tierra, digo que en la que yo en mi señorío poseo, mandar a vuestra voluntad, porque será obedecido y hecho y todo lo que nosotros tenemos es para lo que vos de ello quisiéredes disponer. Y pues estáis en vuestra naturaleza y en vuestra casa, holgad y descansad del trabajo del camino y guerras que habéis tenido, que bien sé todos los que se os han ofrecido de Puntunchán acá y bien sé que los de Cempoal y de Tascalecal os han dicho muchos males de mí.

No creáis más que lo que por vuestros ojos veredes, en especial de aquellos que son mis enemigos y algunos de ellos eran mis vasallos y se me han rebelado con vuestra venida y por favorecerse con vos lo dicen. Los cuales sé que os dicho que yo tenía las casas con las paredes de oro y que las esteras de mis estrados y otras cosas de mi servicio eran asimismo de oro y que yo era y me hacía dios y otras muchas cosas.

Las casas ya las veis que son de piedra, cal y tierra.»

Entonces, Moctezuma enseñó sus vestiduras a Cortés, añadiendo con sencillez, mientras mostraba su cuerpo al conquistador:

«A mí me veis aquí que soy de carne y hueso como vos y como cada uno y que soy mortal y palpable. Veo cómo os han mentido; verdad es que tengo algunas cosas de oro que me han quedado de mis abuelos; todo lo que yo tuviera tenéis vos cada vez que quisiéredes. Yo me voy a otras casas donde vivo; aquí seréis provisto de todas las cosas necesarias para vos y vuestra gente. Y no recibáis pena alguna, pues estáis en vuestra casa y naturaleza.»

Así habló Moctezuma. Éstas son sus palabras, según Cortés, y no hay que dudar sobre la veracidad de ello, ya que demuestra hasta qué punto se sentía el emperador azteca obligado para con sus huéspedes, llegados «de donde salía el sol», según sus términos exactos. También demuestra la generosidad y hospitalidad hacia los visitantes, las pruebas de buena voluntad y de cordialidad de aquel gran rey, poderoso entre los poderosos de su tierra.

Resulta por todo ello un documento de excepcional valor, a través del cual hemos podido oír las palabras de Moctezuma, bien traducidas y transcritas. Desgraciadamente, los españoles bien poco hicieron luego por agradecer tanto agasajo, y ello viene a demostrar que aquellos conquistadores no eran sino aves de rapiña, dispuestas a apoderarse de todo lo de valor que hallaran a su paso, sin detenerse tan siquiera ante un noble comportamiento. A los hechos generosos respondieron ellos con la codicia; a los ofrecimientos cordiales y amistosos, con la violencia y la destrucción.

Prueba de ello lo tenemos en las propias cartas de Cortés, que en momento alguno se muestra conmovido o agradecido por aquel recibimiento y aquellas palabras de amistad, y que más bien deja entrever su astucia y su forma de manipulación, ya que, a continuación de ese discurso de bienvenida de Moctezuma, Cortés le añade un comentario propio que nos revela su carácter calculador y poco o nada agradecido:

«Yo le respondí a todo lo que me dijo, satisfaciendo a aquello que me pareció que convenía, en especial en hacerle creer que vuestra majestad era a quien ellos esperaban...»

Político y cauto, pero como se ve también sinuoso, Hernán Cortés en su modo de ver y de hacer las cosas, siempre calculador y frío, al revés que su anfitrión de Tenochtitlán. Según él mismo, hasta seis días pasó alojado en aquel palacio, a cuerpo de rey, y menciona toda clase de presentes, entre ellos pan, frutas, gallinas y «otras cosas necesarias», según él mismo comenta. Durante esos días recibió también la visita de muchos de los nobles de la ciudad, que venían a rendirle pleitesía.

No se puede imaginar mejor recibimiento a unos extranjeros que no se habían mostrado demasiado pacíficos en su recorrido por las tierras de aquel país, pero ello no viene sino a demostrar, como lo hacen las propias palabras pronunciadas por Moctezuma, que la convicción del azteca en las profecías religiosas era absoluta y en ningún momento, hasta entonces, tuvo la más mínima duda de que ello fuera así, por lo que materialmente se puso a los pies de los que iban a ser sus conquistadores, sin darse cuenta exacta de lo que se avecinaba con aquella actitud dócil, generosa y hospitalaria.

Cuando quiso rectificar ya era tarde, como le sucedió a todo su pueblo, tan creyente como el propio Moctezuma, y para quien el ejemplo de su amo y señor era ley. Ninguno puso en duda la naturaleza divina de los invasores, y si alguien llegó a pensarlo, se guardó mucho de decirlo en voz alta.

Moctezuma había acogido a Cortés y su gente como a seres venidos en nombre de sus dioses, y no se podía pensar otra cosa en Tenochtitlán, hasta que la cruda realidad abrió los ojos a los aztecas. Pero para entonces su destino estaba ya sellado irremisiblemente.

Lo relativo a la conversación entre Cortés y Moctezuma conviene remarcarlo como la primera referencia directa que existe —y la única en realidad— de la lengua *náhuatl* o azteca vertida a caracteres latinos y pronunciables mediante la lectura directa, ya que hasta entonces nadie había traducido dicha lengua a otros caracteres. Recuérdese que dicha lengua carecía de letras y signos, y se limitaba a estar reproducida gráficamente por medio de figuras jeroglíficas, o pictogramas. Como cuando Champollion descubrió el modo de leer las inscripciones egipcias, aquí tenemos que admirarnos de poder tener constancia de una representación fonética de su lenguaje, gracias a la traducción de doña Marina y a la transcripción posterior de Cortés al castellano.

También la forma escrita de nombres de personas, ciudades, etc., se debe a esta versión fonográfica de los conquistadores, por lo que la pronunciación y escritura de dichas palabras posee casi siempre imperfecciones, dada la dificultad de interpretar el sonido que los aztecas daban a algunas de sus terminaciones especialmente, como sucede con la terminación *tecatl*, pongamos por caso, que Cortés en sus escritos siempre traduce como *tecal*. De igual modo, a la ciudad de Tenochtitlán, el extremeño la llama en sus escritos «Temixtitán», pero al margen de esos errores, debidos a la pronunciación azteca, resulta de un valor incalculable todo cuanto el conquistador dejó escrito en sus cartas, puesto que es la verdadera crónica de aquel tiempo, de aquella gran aventura, de aquellas gentes hoy desaparecidas para siempre, de su cultura e incluso de su lenguaje.

Otra cosa es que tengamos que dar crédito a las crónicas de Cortés, pues sabemos bien de sus argucias y de su facilidad para mentir en su beneficio y en el de sus actos, revelando en ello sus dotes de manipulador poco escrupuloso.

Así, tras referir lo que le dijera Moctezuma y todo lo bien tratado que había sido por el emperador azteca, así como sus hombres, admite Cortés que la generosidad de Moctezuma llegó al extremo de «darle joyas de oro y una hija suya, y otras hijas de señores a algunos de sus compañeros de armas», entramos en un punto oscuro y dudoso de la sinceridad del conquistador español, para justificar su comportamiento para con su generoso anfitrión.

Alude Cortés a que en la ciudad de Qualpopoca, una de las súbditas de Moctezuma, habían sido muertos varios españoles en circunstancias sospechosas, y que el tal Qualpopoca no había obrado siguiendo su propio criterio, sino obedeciendo órdenes emanadas del propio Moctezuma, tras un ataque por parte de los españoles contra los nativos de su ciudad.

Lo cierto es que con ese pretexto, Cortés justifica sus acciones a partir de ese momento, declarando que los propios hombres de Qualpopoca habían recibido instrucciones de Moctezuma para matar a aquellos españoles, fingiendo que había habido una agresión por parte de éstos.

Siempre según él, esto le convenció de que no era medida prudente permitir que Moctezuma siguiera en plena libertad de sus actos, y que para proteger mejor las vidas de sus hombres convenía prenderle y hacerle prisionero. Decía, en su descargo, que toda la amistad de Moctezuma podía volverse una peligrosa circunstancia para ellos si cambiaba de idea, y era preferible tenerlo bajo vigilancia, como un rehén que impidiera que todo el gran poder que acumulaba aquel emperador pudiera caer sobre los españoles en cualquier momento.

La excusa resulta poco creíble, dada la acogida hospitalaria y cordial del azteca a sus visitantes, y conviene no dejarse llevar por lo que afirmaba Cortés. Más bien da la impresión de que estaba justificando una medida que había meditado muy cuidadosamente, para poder dominar no solamente a Moctezuma, sino a todo aquel reino, convirtiéndose él en el personaje más poderoso de la situación.

Sea como sea, lo cierto es que, de la noche a la mañana, Moctezuma pasó de ser altivo y todopoderoso señor de aquel imperio a cautivo de su propio huésped, que lo mandó prender sin inmutarse lo más mínimo y sin que Moctezuma opusiera la menor resistencia a tal medida.

Cierto que Cortés obró taimadamente una vez más, manejando a su antojo verdades y mentiras, y al tiempo que hacía alojar a Moctezuma en el cuarto más seguro de palacio, bajo vigilancia, decía a éste amistosamente que ello era conveniente para así esperar a que el tal Qualpopoca y su gente fuesen debidamente interrogados e investigados por él, y descubrir que mentía sin duda al afirmar que cumplía órdenes de Moctezuma, puesto que éste tan buen amigo y solícito anfitrión se había mostrado con ellos.

No sabemos si Moctezuma pecó de ingenuo, de torpe o de demasiado débil a causa de la veneración que sentía por aquellos presuntos enviados de los dioses, pero se sometió de buen grado a cuanto decía Cortés, aceptó su confinamiento sin protestar ni promover reacción violenta alguna de su gente contra los españoles, e incluso aceptó que Qualpopoca y sus hombres fueran juzgados conforme al deseo de los españoles, para tratar de hallar la verdad de lo sucedido en la ciudad que él regía, situada a unas setenta leguas de Tenochtitlán.

Habían transcurrido unos quince días de prisión para Moctezuma cuando los hombres de Cortés enviados por éste a la caza y captura de Qualpopoca regresaron con éste y un hijo suyo, así como con otros quince prisioneros a los que se acusaba de participar en la matanza de españoles.

Los encarceló a todos ellos, ante la pasividad constante de Moctezuma, que parecía haber renunciado a todos sus privilegios y autoridad como emperador —cosa bastante extraña e inexplicable, por cierto, pese a las motivaciones religiosas de su sometimiento—, y procedió a juzgarlos acusados de aquel crimen.

Interrogados, nos suponemos que mediante métodos muy poco fiables democráticamente hablando, Qualpopoca y su gente mantuvieron primero a ultranza la versión de que se habían limitado a cumplir órdenes emanadas del propio Moctezuma, cuando éste había sido informado de que aquellos españoles abusaban de la hospitalidad azteca con actos indignos y que por eso habían sido muertos, para después retractarse y negarlo todo, admitiendo que se hicieron las cosas por decisión personal de Qualpopoca y con el desconocimiento de Moctezuma.

Tras ese juicio, el veredicto de culpabilidad de los acusados obtuvo una sentencia muy propia del sistema expeditivo de justicia que Cortés solía aplicar a sus enemigos: quemarlos en la plaza pública, en presencia de todos.

Qualpopoca y sus hombres murieron de tan terrible manera, sin que nadie levantara la voz en Tenochtitlán, y menos que nadie el propio Moctezuma, cuya prisión intensificó Cortés con medidas más severas, aunque, según él mismo declara, con evidente cinismo, «el día que mataron a aquellos hombres hice echar unos grillos al señor Moctezuma, que él recibió con no poco espanto, y después se los hice quitar y él quedó muy contento, y de allí en adelante siempre trabajé tratando de agradarle y contentarle en todo lo a mí posible».

Uno se resiste a creer que Moctezuma, habituado a ser amo y señor de aquel imperio, se sometiera tan dócilmente a aquella humillante situación sin intentar rebelarse ni levantar a todos sus súbditos contra sus captores. Pero sucedió así, aunque no puede tampoco uno aceptar fácilmente el modo tan cómodo de describir la situación que utiliza Cortés.

Por si fuera poco, añade el extremeño en su crónica de aquellos días:

«... siempre publiqué y dije a todos los naturales de la tierra, así señores como los que a mí venían, que vuestra majestad era servido que el dicho señor Mutezuma se estuviese en su señorío reconociendo el que vuestra alteza sobre él tenía y que servirían mucho a vuestra alteza (alude a Carlos V siempre), en le obedecer y tener por señor, como antes que yo viniese a la tierra le tenían.»

Para más desconcierto del lector que sigue esas crónicas de la conquista, prosigue Cortés, en cuanto al comportamiento y actitud de Moctezuma, del siguiente modo:

«Y fue el buen tratamiento que yo le hice y el contentamiento que de mí tenía, que algunas veces y muchas le acometí con su libertad, rogándole que fuese a su casa y me dijo todas las veces que se lo decía que él estaba bien allí y que no quería irse, porque allí no le faltaba cosa de lo que él quería, como si en su casa estuviese, y que podía ser que yéndose y habiendo lugar, que los señores de la tierra sus vasallos le importunasen o le induciesen a que hiciese alguna cosa contra su voluntad, que fuese fuera del servicio de vuestra alteza y que él tenía propuesto de servir a vuestra alteza en todo lo a él posible y que hasta tanto que los tuviese informados de lo que quería hacer y que él estaba bien allí, porque aunque alguna cosa le quisiesen decir, que con responderles que no estaba en su libertad se podría excusar y eximir de ellos, y muchas veces me pidió licencia para irse a holgar y pasar tiempo a ciertas casas de placer que él tenía, así fuera de la ciudad como dentro y ninguna vez se lo negué.

Y fue muchas veces a holgar, con cinco o seis españoles (sus vigilantes, se supone), a una o dos leguas fuera de la ciudad y volvía siempre muy alegre y contento al aposento donde yo le tenía y siempre que salía hacía muchas mercedes de joyas y ropa, así a los españoles que con él iban, como a sus naturales, de los cuales siempre iba tan acompañado, que cuando menos con él iban, pasaban de tres mil hombres (¿?), que los más de ellos eran señores y personas principales y siempre les hacía muchos banquetes y fiestas, que los que con él iban tenían bien que contar.»

Como relato directo de un testigo vital durante la existencia de Moctezuma, todo esto tiene su valor indudable, pero cabe preguntarse cuántas de las cosas que Hernán Cortés explica aquí son verdad y cuántas no. Resulta poco creíble esa versión de los hechos, en primer lugar porque está hablando de un hombre amo y señor de todo aquello hasta entonces, a quien se obligaba a vivir en cautividad. Se le permitía salir, sí, pero al parecer con una buena escolta de vigilantes. Extraña esa mención de varios miles de aztecas acompañando a su rey cautivo en sus juergas sexuales como si tal cosa, sabiendo que era cautivo del extranjero.

Y en suma, uno llega a dudar por completo de la versión de Cortés de todos aquellos hechos, y se pregunta si el conquistador no era el mayor y más cínico embustero jamás conocido... o si Moctezuma vivía obnubilado por sus creencias hasta el extremo de no darse cuenta de nada, dejándose manejar como un pelele por aquel a quien, con una simple orden suya, podían exterminar fácilmente sus numerosos vasallos y soldados.

Pero la realidad histórica no nos aclara demasiado en ese sentido, limitándose a referirnos al cautiverio de Moctezuma, la pasividad de éste y de su pueblo ante tal hecho, y el control cada vez más absoluto que Cortés y sus hombres tenían de la situación.

¿Extraño? ¿Inexplicable? Sin duda alguna. Pero los hechos son los hechos. Y no se sabe de acción alguna por parte de los aztecas, de ninguna iniciativa encaminada a cambiar el rumbo de los acontecimientos y volver a la normalidad.

Ése es el gran misterio de aquella anómala situación, en la que los más débiles, los de menor número, invitados por el dueño y señor del imperio, se habían alzado con el mando absoluto, sin que nadie pareciese capaz de oponerse a ello.

Capítulo V

— Surgen los problemas —

SIGUIERON meses de calma, una calma que para los españoles era sólo relativa, porque la ambición y la codicia habían hecho presa en ellos desde que vieran a su alcance la posibilidad de obtener grandes riquezas de aquellas tierras en las que empezaban a sentirse dueños y señores, no sin motivos.

En Tenochtitlán las cosas continuaban como siempre: Moctezuma aceptaba con docilidad su cautiverio, los nativos no se rebelaban contra aquel estado de cosas y la situación languidecía del modo más conveniente para los intereses de Cortés y de sus hombres.

Al mismo tiempo, a oídos del conquistador llegaban nuevas sobre lugares donde era fácil encontrar oro y en los que al parecer se hallaban yacimientos del rico metal, entre ellos una región llamada Malinaltepeque y otra donde mandaba un tal Coatelicamat (siempre según versión ortográfica del propio Cortés), en la que así mismo había oro en abundancia. Pero mientras una región era leal a Moctezuma, la otra no lo era, y Coatelicamat avisó a los españoles de que ellos podían entrar en sus tierras a ver las minas de oro, pero no personas alguna relacionada con Moctezuma, porque éstos eran sus enemigos.

Eso dejó a Cortés en la duda de si emprender aquel viaje o no, ya que fue advertido seriamente de que podían ser muertos por los nativos. Pero finalmente se decidió a correr la aventura y enviar allí a sus hombres, que regresaron cargados de presentes, sobre todo de oro obtenido de sus ríos y minas.

Ante estos presentes, Cortés resolvió establecer gente suya en las tierras donde era tan fácil hallar oro, y también en eso parece ser que colaboró de buen grado el propio Moctezuma, dando las órdenes pertinentes para que se levantaran tierras de cultivo allí donde hubiese minas de oro cercanas, para que los españoles pudieran explotarlas fácilmente. En menos de dos meses había edificaciones, plantaciones e incluso estanques con los preciados patos, que utilizaban ellos como alimento y como fuente de plumaje para sus tocados, y así facilitar las cosas a los españoles.

Cortés iba confiando cada vez más en su autoridad y dominio sobre aquellas gentes, capaces de hacer cuanto él decía y de atender sus peticiones al pie de la letra y con prontitud. Con aquella ciudad en calma total, y fluyendo a raudales el oro a sus manos, los españoles parecían poco dispuestos a creer en la posibilidad de que su fortuna se torciese.

Pero, sin embargo, estaba cercano el día en que todo aquello iba a saltar por los aires inevitablemente, cambiando el curso de los acontecimientos de forma decisiva.

Bien ajeno a ello, el capitán de los conquistadores proseguía con sus afanes por obtener riquezas y seguir controlando Tenochtitlán y sus alrededores.

Por cierto que cerca del lago Texcoco, sobre el que se alzaba la capital del imperio, existía una federación política cuya segunda ciudad en importancia era la de Texcoco, y al frente de ella, en calidad de rey o gobernador, se hallaba Cacamatzin, joven sobrino de Moctezuma, el cual ya antes había sido enviado personalmente por su tío para intentar convencer a Cortés en la ciudad de Ayotzingo, a orillas del lago de Chalco, y poco antes a Iztapalapan, para que se retirara con su gente, sin llegar a entrar en Tenochtitlán.

Este sobrino de Moctezuma sí se rebeló contra la prisión de su tío y emperador, lo que Cortés consideró así mismo como una rebelión contra su propio emperador, Carlos V. Trató en varias ocasiones Cortés de convencerle para que viniera a rendirle pleitesía, pero siempre se negó Cacamatzin, así como a obedecer los mandatos de su tío, que él sabía dictados por el español. En este punto, todavía asombra más, no ya la pasividad, sino incluso la complicidad de Moctezuma para ayudar a prender a su propio sobrino con malas artes.

Porque lo cierto es que Cortés dispuso una emboscada en Texcoco, a la que el joven acudió de buena fe, porque había sido dispuesta en apariencia como una reunión con emisarios personales de Moctezuma, y este estuvo de acuerdo en que gente suya, unida a la española, se desplegara en torno al lugar donde había de celebrarse la supuesta reunión, para así prender a Cacamitzin.

Así se hizo finalmente, y el joven rebelde fue llevado hasta Tenochtitlán y presentado a Cortés, a quien mandó poner grilletes y encarcelarlo por rebeldía. Para suplir a su sobrino en el mando de aquella provincia, Moctezuma convino en poner a un hijo suyo, de nombre Cucuzcacin, que obedientemente aceptó todo cuanto su padre y Cortés le dijeron, poniéndose incondicionalmente a las órdenes del rey español y, por ende, a las directas de Cortés. Aquel nuevo rey o gobernante de esa provincia era sumamente dócil y no creaba problemas a los españoles.

Como se ve, todo cuanto decía Cortés era automáticamente asumido por Moctezuma con una servidumbre impropia de tan gran caudillo y líder político y religioso, lo cual no hace sino aumentar la perplejidad del que va conociendo los hechos, porque si bien en un principio resulta comprensible que Moctezuma se dejara deslumbrar por la presencia de aquellos extranjeros y por las profecías de sus dioses, ya no lo resulta tanto que durante todo aquel tiempo se sometiera con total sumisión al mandato del que fuera su huésped y ahora se había convertido ni más ni menos que en su amo y señor.

No puede sorprender, por tanto, que los futuros acontecimientos que iban a sacudir un día la capital azteca, tomaran los derroteros que tomaron, y que el pueblo azteca dejara de respetar e incluso de admirar y de temer al que había sido su emperador y caudillo.

Pero de momento todo seguía igual, y nada hacía presagiar que las cosas fueran a cambiar de rumbo, ni alterarse en modo alguno la situación excepcional que vivía Cortés, como verdadero conquistador de aquel imperio sometido ahora a sus pies y rendido a sus caprichos.

Se ha dicho de Cortés que era hombre de gran personalidad y fuerza, capaz de influir intensamente en cualquier persona, pero esto no nos sirve del todo cuando intentamos analizar la situación creada con el cautiverio de Moctezuma y la suplantación de poderes alcanzada por el extremeño, por mucho que se sustentara su privilegiada posición personal en las supersticiones de aquel pueblo tan sometido al fanatismo religioso.

Es por ello que hay historiadores que se inclinan más bien por un carácter extremadamente débil e impresionable del monarca azteca, muy alejado de su condición de guerrero y de sacerdote integrista, lo que le hizo ser fácil presa de su captor, a quien se sometió de buen grado sin intentar nunca una rebelión fácil que tenía en todo momento al alcance de su mano.

Fuera como fuera, lo cierto es que los españoles estaban saliéndose con la suya con una facilidad que nadie hubiera imaginado ni remotamente cuando comenzó la aventura de la conquista y Cortés destrozó sus naves para evitar deserciones y vuelta atrás, y que de esas circunstancias tan favorables a sus intereses sacaban los mayores beneficios posibles sin demasiados escrúpulos.

La osadía y ambición de Cortés llegó a límites temerarios cuando se decidió a pedir a Moctezuma una orden para que sus hombres importantes y las familias nobles y ricas de Tenochtitlán contribuyeran con su oro a una pretendida obra que tenía que llevar a cabo su emperador español. También Moctezuma cedió en eso, entregando a Cortés lo que se le pedía. Con la orden imperial en la mano, diversos emisarios del conquistador se diseminaron por las regiones próximas a la capital, en una requisa impresionante de riquezas, exigiendo por orden directa de Moctezuma la entrega de determinadas cantidades de oro. Los súbditos del emperador azteca aceptaron con docilidad la orden de su amo y señor, entregando lo que se pedía a los enviados de Cortés, entregándoles no solamente oro sino plata y otras riquezas que poseían, como plumajes, ropas y piedras preciosas.

Este hecho consta también en las crónicas de Cortés a su emperador, y según parece en ninguna parte pusieron objeciones o resistencia alguna a semejante despojo. Según el conquistador, hasta treinta y dos mil cuatrocientos pesos de oro, junto al resto de joyas y riquezas, fueron recaudados en aquella maniobra. Es evidente que la suerte jugaba a favor de los españoles y que su cautivo emperador no hacía nada por cambiarla.

No es extraño que eso fuera alimentando un cierto descontento en la población azteca, aunque no visible por el momento, pero que tendría su eclosión más edelante. Aquella situación era, a la larga, una especie de polvorín al que cualquier hecho aislado podía servir de mecha, pero de eso no parecía darse cuenta Cortés, demasiado audaz y seguro de sí mismo como para prever las consecuencias futuras de su osadía.

Un interés especial puede tener para el lector la descripción, realmente notable, eso sí, que el español hace de la ciudad de Tenochtitlán, y que, por venir de alguien que vivió en ella y que ha sido el único en relatarla tal como la vio, merece la pena reproducir aquí, antes de entrar en detalles de acontecimientos siguientes a la recaudación de bienes de los españoles entre los vasallos de Moctezuma.

Vamos a ver en realidad cómo era Tenochtitlán, la soberbia capital del Imperio azteca, sin fantasías ni imaginaciones, tal como la veían unos ojos ajenos en su momento de máximo esplendor. Creo que la cosa lo merece.

Dice Cortés de lo que vive y ve cada día:

«Esta gran ciudad de Temixtitan (siempre la llama así) está fundada en esta laguna salada, y desde la tierra firme hasta el cuerpo de la dicha ciudad, por cualquiera parte que quisieran entrar a ella, hay dos leguas. Tienen cuatro entradas, todas de calzada hecha a mano, tan ancha como dos lanzas jinetas. Es tan grande la ciudad como Sevilla y Córdoba. Son las calles de ella, digo las principales, muy anchas y muy derechas, y algunas de éstas y todas los demás la mitad de tierra y por la otra mitad es agua, por la cual andan en sus canoas, y todas las calles de trecho a trecho están abiertas por donde atraviesa el agua de las unas y las otras, y en todas estas aberturas, que algunas son muy anchas, hay sus puentes de muy anchas y muy grandes vigas, juntas y recias y bien labradas, y tales, que por muchas de ellas pueden pasar diez de a caballo juntos a la par. Y viendo que si los naturales de esta ciudad quisiesen hacer alguna traición, tenían para ello mucho aparejo, por ser la dicha ciudad edificada de la manera que digo, y quitadas las puentes de las entradas y salidas, nos podrían dejar morir de hambre sin que pudiésemos salir a la tierra; luego que entré en la dicha ciudad di mucha prisa en hacer cuatro bergantines, y los hice en muy breve tiempo, tales que podían echar trescientos hombres en la tierra y llevar los caballos cada vez que quisiésemos.

Tiene esta ciudad muchas plazas donde hay continuo mercado y trato de comprar y vender. Tiene otra plaza tan grande como dos veces la ciudad de Salamanca, toda cercada de portales alrededor, donde hay cotidianamente arriba de sesenta mil ánimas comprando y vendiendo; donde hay todos los géneros de mercadurías que en todas las tierras se hallan, así de mantenimiento como de vituallas, joyas de oro y de plata, de plomo, de latón, de cobre, de estaño, de piedras, de huesos, de conchas, de caracoles y de plumas.

Véndese cal, piedra labrada y por labrar, adobes, ladrillos, madera labrada y por labrar de diversas maneras. Hay calle de caza donde venden todos los linajes de aves que hay en la tierra, así como gallinas, perdices, codornices, lavancos, dorales, zarcetas, tórtolas, palomas, pajaritos en cañuela, papagayos, búharros, águilas, halcones, gavilantes y cernícalos; y de algunas de estas aves de rapiña venden los cueros con su pluma y cabezas y pico y uñas.

Venden conejos, liebres, venados y perros pequeños, que crían para comer, castrados. Hay calles de herbolarios, donde hay todas las raíces y hierbas medicinales que en la tierra se hallan. Hay casas como de boticarios donde se venden las medicinas hechas, así potables como ungüentes y emplastos. Hay casas donde dan de comer y beber por precio. Hay hombres como los que llaman en Castilla ganapanes, para traer cargas.

Hay mucha leña, carbón, braseros de barro y esteras de muchas maneras para camas, y otras más delgadas para asiento y esterar salas y cámaras. Hay todas las maneras de verduras que se hallan, especialmente cebollas, puerros, ajos, mastuerzos, berros, borrajas, acederas y cardos y tagarninas. Hay frutas de muchas maneras, en que hay cerezas y ciruelas que son semejantes a las de España.

Venden miel de abejas y cera y miel de cañas de maíz, que son tan melosas y dulces como las de azúcar, y miel de unas plantas que llaman en las otras islas maguey, que es mucho mejor que arrope, y de estas plantas hacen azúcar y vino, que asimismo venden. Hay a vender muchas maneras de hilados de algodón de todos colores, en sus madejicas, que parece propiamente alcaicería de Granada en las sedas, aunque esto otro es en mucha más cantidad. Venden colores para pintores, cuantos se pueden hallar en España, y de tan excelentes matices cuanto pueden ser. Venden mucha loza en gran manera muy buena, venden muchas vasijas de tinajas grandes y pequeñas, jarros, ollas, ladrillos y otras infinitas maneras de vasijas, todas de singular barro, todas, o las más, vidriadas y pintadas.

Venden mucho maíz en grano y en pan, lo cual hace mucha ventaja, así en el grano como en el sabor, a todo lo de las otras islas y tierra firme. Venden pasteles de ave y empanadas de pescado. Venden mucho pescado crudo y guisado, fresco y salado. Venden huevos de gallina y de ánsares, y de todas las otras aves que he dicho, en gran cantidad, y venden tortillas de huevos hechas. Finalmente, que en los dichos mercados se venden todas cuantas cosas se hallan en la tierra, que demás de las que he dicho, son tantas y de tantas calidades, que por la prolijidad y por no ocurrir tantas a la memoria, y aun por no saber poner los nombres, no las expreso. Cada género de mercaduría se vende en su calle, sin que entremetan otra mercaduría ninguna, y en esto tienen mucho orden. Todo se vende por cuenta y medida, excepto que hasta ahora no se ha visto vender cosa alguna por peso.»

Tras la expresiva descripción de un mercado azteca, posiblemente la única que existe y desde luego la única que ha llegado hasta nosotros de viva voz de un testigo directo de su existencia, Cortés sigue en su relato de los detalles de la gran ciudad de Tenochtitlán:

«Hay en esta gran plaza una gran casa como de audiencia, donde están siempre sentadas diez o doce personas, que son jueces y libran todos los casos y cosas que en el dicho mercado acaecen, y mandan castigar los delincuentes. Hay en la dicha plaza otras personas, que andan continuo entre la gente, mirando lo que se vende y las medidas con que miden lo que venden, y se ha visto quebrar alguna que estaba falsa.

Hay en esta gran ciudad muchas mezquitas o casas de sus ídolos, de muy hermosos edificios, por las colaciones y barrios de ella, y en las principales de ella hay personas religiosas de su secta, que residen continuamente en ellas, para las cuales, demás de las casas donde tienen los ídolos, hay buenos aposentos. Todos estos religiosos visten de negro y nunca y nunca cortan el cabello ni lo peinan desde que entran en la religión hasta que salen, y todos los hijos de las personas principales, así señores como ciudadanos honrados, están en aquellas religiones y hábito desde edad de siete u ocho años hasta que los sacan para casarlos, y esto más acaece en los primogénitos que han de heredar las casas que en los otros. No tienen acceso a mujer ni entra ninguna en las dichas casas de religión. Tienen abstinencia en no comer ciertos manjares y más en algunos tiempos del año que no en los otros, y entre estas mezquitas hay una que es la principal, que no hay lengua humana que sepa explicar la grandeza y particularidades de ella, porque es tan grande que dentro del circuito de ella, que es todo cercado de muro muy alto, se podía muy bien hacer una villa de quinientos vecinos; tiene dentro de este circuito, todo a la redonda, muy gentiles aposentos en que hay muy grandes salas y corredores donde se aposentan los religiosos que allí están. Hay bien cuarenta torres muy altas y bien obradas, que la mayor tiene cincuenta escalones para subir al cuerpo de la torre; la más principal es más alta que la torre de la iglesia mayor de Sevilla.

Son tan bien labradas, así de cantería como de madera, que no pueden ser mejor hechas ni labradas en ninguna parte, porque toda la cantería de dentro de las capillas donde tienen los ídolos es de imaginería y zaquizamíes, y el maderamiento es todo de masonería muy pintado de cosas de monstruos y otras figuras y labores. Todas estas torres son enterramiento de señores, y las capillas que en ellas tienen son dedicadas cada una a su ídolo, a que tienen devoción.»

A la vista de este relato de Cortés, uno se sorprende por la facilidad de redacción que tenía el conquistador, y que no todos los de su clase tuvieron, tal vez porque su educación fue muy diferente, y el hombre culto que era el extremeño se retrata claramente en su descripción de cuanto ve en la gran urbe azteca.

Para él, naturalmente, los templos allí son «mezquitas» (sin duda toma como referencia los templos árabes que él conoce en España) y nunca llama «dioses» a las divinidades aztecas, sino simplemente «ídolos». Son términos lógicos en quien considera toda religión ajena a la cristiana y católica como algo pagano e idolátrico.

Pero desde luego nadie ha dejado escrito para la posteridad un retrato tan perfecto y detallado de Tenochtitlán y su ambiente como Hernán Cortes lo hizo a lo largo de sus minuciosas e interminables cartas a Carlos V, y que gracias a ello nos ha sido legada una visión real y detallada de cómo era el mundo azteca, de inapreciable valor histórico, que nos ayuda a situarnos en el ambiente y en el lugar como si nosotros mismos lo estuviéramos viendo.

No podía faltar en este relato de Cortés una alusión muy concreta a los sacrificios humanos, que eran proverbiales en la cultura y religión aztecas, y la forma que tuvo el extremeño de afrontar los hechos, tratando de terminar de una vez por todas con aquellas ceremonias sangrientas.

Al menos, así lo refiere él, cuando relata su entrevista con Moctezuma al respecto, tras haber tomado por su parte algunas medidas previas, no sin describirnos perfectamente la visión sanguinaria de los lugares de sacrificio:

«Los más principales de estos ídolos, y en quien ellos más fe y creencia tenían, derroqué de sus sillas y los hice echar por las escaleras abajo e hice limpiar aquellas capillas donde los tenían, porque todas estaban llenas de sangre que sacrifican, y puse en ellas imágenes de Nuestra Señora y de otros santos que no poco el dicho Mutezuma y los naturales sintieron, los cuales primero me dijeron que no lo hiciese, porque si se sabía por las comunidades se levantarían contra mí, porque tenían que aquellos ídolos les daban todos los bienes temporales, y que, dejándolos maltratar, se enojarían y no les darían anda, y les sacarían los frutos de la tierra y moriría la gente de hambre.»

. Aquí queda bien clara la intolerancia religiosa de los españoles, que no vacilaron en ofender las creencias del pueblo azteca, derribando a sus deidades para imponerles la fe cristiana a viva fuerza, por lo que se ve, y no sin oposición esta vez, tanto de Moctezuma como de los nobles.

Resultó ciertamente una temeridad la acción de Cortés, porque ante un integrismo azteca él impuso su propio integrismo católico, y eso hiere siempre los sentimientos de otros creyentes, y puede conducir, como de hecho debió suceder entonces, a un principio de rebelión de los naturales del país, ofendiendo sus creencias. Como se ve, la diplomacia y los buenos modos no eran el fuerte de los conquistadores españoles a su paso por lo que ellos llamaron Nueva España.

Pero a pesar de que Moctezuma mismo le mostraba su rechazo a tales acciones, Cortés siguió adelante con sus métodos, como él mismo reconoce sin pudor en sus escritos:

«Yo les hice entender con las lenguas cuán engañados estaban en tener su esperanza en aquellos ídolos, que eran hechos por sus manos de cosas no limpias y que habían de saber que había un solo Dios, universal Señor de todos, el cual había criado el cielo y la tierra, y todas las cosas, y que hizo a ellos y a nosotros, y que Éste era sin principio e inmortal y que a Él habían de adorar y creer y no a otra criatura ni cosa alguna, y les dije todo lo demás que yo en este caso supe, para los desviar de sus idolatrías y atraer al conocimiento de Dios Nuestro Señor; y todos, en especial el dicho Mutezuma, me respondieron que ya me habían dicho que ellos no eran naturales de esta tierra, y que hacía muchos tiempos que sus predecesores habían venido a ella, y que bien creían que podrían estar errados en algo de aquello que tenían, por haber tanto tiempo que salieron de su naturaleza, y que yo, como más nuevamente venido, sabría las cosas que debían tener y creer mejor que no ellos; que se las dijese e hiciese entender, que ello harían lo que yo les dijese que era lo mejor.

Y el dicho Mutezuma y muchos de los principales de la ciudad dicha estuvieron conmigo hasta quitar los ídolos y limpiar las capillas y poner las imágenes, y todo con alegre semblante, y les defendí que no matasen criaturas a los ídolos, como acostumbraban, porque además de ser muy aborrecible a Dios, vuestra sacra majestad por sus leyes los prohíbe y manda que al que matare lo maten. Y de ahí delante se apartaron de ello, y en todo el tiempo que yo estuve en la dicha ciudad nunca se vio matar ni sacrificar criatura alguna.»

Sorprende, una vez más, la docilidad con que los aztecas se sometían a todo cuanto disponía u ordenaba Cortés, y más tratándose de una sociedad tan teocrática. Que no se opusieran rotundamente a las decisiones del extranjero respecto a sus divinidades y a su fe, no deja de ser desconcertante e insiste en esa resignación y falta de reacción del pueblo azteca ante sus invasores, que, por lo que se ve, estaban siempre dispuestos a imponer su propia ley sin que nadie levantara un dedo para oponerse a ella.

Muchos historiadores coinciden en que otra hubiera sido la respuesta del pueblo y, sobre todo, de sacerdotes y clases altas, si su señor Moctezuma no hubiera estado tan sometido a la voluntad de su captor, y hubiera demostrado una rebeldía activa en alguna de esas circunstancias. Pero el sometimiento, el silencio y la indiferencia de su emperador, ante esos desmanes a sus costumbres, debieron desmoralizar a las fuerzas fácticas de aquella sociedad, que no tuvieron poder de reacción.

Sin embargo, no resulta difícil pensar que todo aquello no hacía sino deteriorar paulatinamente la relación entre conquistadores y conquistados, y que tal situación tenía que estallar alguna vez por alguna parte.

Cortés estaba demasiado seguro de sí mismo para temer que las cosas cambiaran, pero ese exceso de confianza podía resultarle muy perjudicial, llegado el momento, cuando las verdaderas dificultades afloraran de alguna manera.

Puede que haya quien, en ese sentido, afirme que no fue precisamente por culpa directa de Hernán Cortés por lo que los problemas más graves surgieron, provocando la catástrofe, pero sí que de una decisión suya iba a derivarse lo que sería el final de la amistad y tolerancia de los aztecas, como veremos en su momento.

El culpable directo tiene un nombre: Pedro de Alvarado, una de las personas de confianza de Cortés y en quien él iba a depositar su fe en un momento determinado, sellando con ello el destino de su dominio sobre Tenochtitlán y su autoridad sobre Moctezuma y su pueblo.

Pedro de Alvarado, a quien los aztecas llamaban Tonatihu («Sol»), por sus dorados cabellos, era también hidalgo y extremeño, nacido en Badajoz, el cual acompañó a Cortés en su conquista de México, llegando a casarse allí con una hija del cacique Xicotencatl, de quien tuvo dos hijos.

Y tenía que ser él, precisamente, el responsable verdadero de todo cuanto sucedió en Tenochtitlán, estando ausente Cortés cuando ello tuvo lugar.

Se puede decir de este hombre, orgulloso y cruel, que con su comportamiento no sólo iba a comprometer toda la obra conquistadora y colonizadora de Cortés, sino que iba a ser también el instrumento dispuesto por el destino para marcar el final de la vida del propio emperador azteca, Moctezuma II.

Capítulo VI

— Cómo vivía Moctezuma —

No resulta fácil conocer datos directos que nos refieran los usos y costumbres de Moctezuma en la intimidad: detalles de sus actos cotidianos, formas de servidumbre en torno suyo y nimias referencias a su aseo personal y hábitos de cada día dentro del palacio.

Por ello, una vez más, es preciso recurrir al testigo de excepción que tenemos en Hernán Cortés, quien no dudó en escribir detalladamente a su emperador la forma de vida de Moctezuma y todo cuanto le rodeaba.

La fuente, pues, resulta de lo más fidedigna, porque si bien es cierto que no se debe confiar demasiado en la palabra y sinceridad del extremeño, como ya hemos dicho en varias ocasiones —sí es bien verdad que, en cuanto a todo aquello que afectara de un modo directo a sus acciones personales y a lo que pudiera beneficiarle o perjudicarle a él, Cortés era capaz de engañar hasta el mismísimo Carlos V—, en cuanto a lo que se refiere a describirnos y detallarnos todo aquello que le rodeaba, resulta un narrador ameno, hábil y muy bien dotado para la observación y el detalle. La pluma en su mano es un instrumento tan bien utilizado como la espada, y gracias a ello podemos ver cómo vivía Moctezuma y cuál era el ambiente que le rodeaba en su palacio.

Veamos en concreto lo que Cortés escribió al respecto, sin omitir detalle, puesto que nos da una documentación impresionante sobre la forma de vida de Moctezuma.

Dice el español:

«En lo del servicio de Moctezuma y de las cosas y admiración que tenía por grandeza y estado, hay tanto que escribir que certifico que yo no sé por dónde comenzar que pueda acabar de decir alguna parte de ellas. Porque como ya he dicho, ¿qué más grandeza puede ser que un señor bárbaro[2], como éste, tuviese contrahechas de oro y plata y piedras preciosas y plumas, todas las cosas que debajo del cielo hay en su señorío, tan al natural lo de oro y plata que no hay platero en el mundo que mejor lo hiciese, y lo de la piedras que no baste juicio comprender con qué instrumentos se hiciese tan perfecto, y lo de pluma que ni de cera ni en ningún bordado se podía hacer tan maravillosamente?

El señorío de tierras que este señor Mutezuma tenía no se ha podido alcanzar cuánto era, porque a ninguna parte, doscientas leguas de un cabo y de otro de aquella su gran ciudad, enviaba sus mensajeros, que no fuese cumplido su mandato, aunque había algunas provincias en medio de estas tierras con quien él tenía guerra. Pero por lo que se alcanzó, y yo de él pude comprender, era su señorío casi tanto como España, porque hasta sesenta leguas de esa parte de Putunchán, que es el río de Grijalva, envió mensajeros a que se diesen por vasallos de vuestra majestad los naturales de una ciudad que se dice Cumatán, que había desde la gran ciudad a ella doscientas y veinte leguas, porque las ciento cincuenta yo he hecho andar y ver a los españoles. Todos los más de estos señores y de estas tierras y provincias, en especial los comarcanos, residían, como ya he dicho, mucho tiempo del año en aquella gran ciudad, y todos o los más tenían sus hijos primogénitos en el servicio de dicho Mutezuma.

---

[2] La alusión de «bárbaro» a Moctezuma o su pueblo no es aislada en los relatos de Cortés. Se refiere varias veces con este apelativo a los aztecas, sólo porque, según él, vivían «apartados del conocimiento de Dios», como si el no ser cristianos y católicos fuera signo de barbarie para la mentalidad de los conquistadores.

En todos los señoríos de estos señores tenía fuerzas hechas, y en ella gente suya, y sus gobernadores y cogedores del servicio y renta que de cada provincia le daban, y había cuenta y razón de lo que cada uno era obligado a dar, porque tienen caracteres y figuras escritas en el papel que hacen por donde se entienden.

Cada una de estas provincias servía, con su género de servicio, según la calidad de la tierra, por manera que a su poder venía toda suerte de cosas que en las dichas provincias había. Era tan temido de todos, así presentes como ausentes, que nunca príncipe del mundo lo fue más. Tenía, así fuera de la casa y la ciudad como dentro de ellas, muchos sitios de placer, y cada uno su manera de pasatiempos, tan bien labradas las casas como se podría decir, y cuales requerían para ser un gran príncipe y señor[3].

Tenía dentro de la ciudad sus casas de aposentamiento tales y tan maravillosas que me parecía casi imposible poder decir la bondad y grandeza de ellas, y por tanto no me pondré en expresar cosas de ellas más de que en España no hay su semejable.

Tenía una casa poco menos buena que ésta, donde tenía un hermoso jardín con ciertos miradores que salían sobre él, y los mármoles y losas de ellos eran de jaspe muy bien obrados. Había en esta casa aposentamientos para se aposentar dos muy grandes príncipes con todo su servicio. En esta casa tenía diez estanques de agua, donde tenían todos los linajes de aves de agua que en estas partes se hallan, que son muchos y diversos, todas domésticas; y para las aves que se crían en la mar, eran los estanques de agua salada, y para los de ríos, lagunas de agua dulce, la cual agua vaciaban de cierto a cierto tiempo, por la limpieza, y la tornaban a henchir por sus caños, y a cada género de aves se daba aquel mantenimiento que era propio a su natural y que con ellas en el campo se mantenían.

---

[3] Alude Cortés, sin duda, a lupanares y casas de prostitución, de diversa condición y especialidades sexuales diferentes, como ya existía así mismo en la civilización egipcia, lo que da idea del refinamiento alcanzado por el pueblo azteca en ese sentido, y que como vemos dista mucho del calificativo de «bárbaro» acuñado por los españoles bajo su prisma religioso.

De forma que a los que comían pescado se lo daban; y los que gusanos, gusanos; y a los que maíz, maíz; y los que otras semillas más menudas, por el consiguiente se lo daban.»

Hagamos un alto en este relato francamente perfecto de Hernán Cortés sobre la existencia de tan bellos lugares en el interior de Tenochtitlán, para admirarnos de que los aztecas hubieran alcanzado tan alto grado de desarrollo en el mantenimiento de hábitats naturales para su fauna acuática y para el riego, la distribución de aguas y la higiene con que éstas eran mantenidas.

El propio conquistador se desdice, evidentemente, al calificar a los aztecas de un modo que no encaja en absoluto con cosas tan avanzadas y perfectas como las que él mismo veía y describía, y en cuyo relato se aprecia con claridad su admiración hacia tales obras. Es por ello de suponer que, en ocasiones, sólo trataba de halagar a Carlos V, minimizando o criticando la civilización azteca, aun admitiendo que en muchos aspectos ésta dejaba en mantillas a la de su país de origen en aquellos tiempos.

Admiración que Cortés sigue mostrando con toda evidencia en la continuación de sus descripciones, dignas por otro lado, no de un vulgar soldado y conquistador, sino del hombre culto e inteligente que tras la máscara de barbarie de un aventurero con ansias de conquista podía ocultarse en su caso.

«Y certifico a vuestra alteza —prosigue Cortés— que las aves que solamente comían pescado se les daba cada día diez arrobas de él, que se toma en la laguna salada. Había para tener de cargo de más aves trescientos hombres, que en ninguna otra cosa entendían. Había otros hombres que solamente entendían en curar las aves que adolecían (evidentemente, alude a veterinarios). Sobre cada una de las albercas y estanques de estas aves sus corredores y miradores muy gentilmente labrados, donde el dicho Mutezuma se venía a recrear y a las ver.

Tenía en esta casa un cuarto en que tenía hombres y mujeres y niños blancos de su nacimiento en el rostro y cuerpo y cabellos y cejas y pestañas. Tenía otra casa muy hermosa donde tenía un gran patio losado de muy gentiles losas, todo él hecho a manera de un juego de ajedrez, y las casas eran hondas cuanto estado y medio, y tan grandes como seis pasos en cuadra; y la mitad de cada una de estas casas era cubierta el soterrado de losas, y la mitad que quedaba por cubrir tenía encima una red de palo muy bien hecha; y en cada una de estas casas había un ave de rapiña; comenzando de cernícalo hasta águila, todas cuantas se hallan en España y muchas más raleas que allá no se han visto.

Y a todas estas aves daban a comer gallinas y no otro mantenimiento. Había en esta casa ciertas salas grandes bajas, todas llenas de jaulas grandes de muy gruesos maderos muy bien labrados y encajados y en todas o las más había leones, tigres, lobos, zorras y gatos de diversas maneras y de todos en cantidad, a los cuales daban de comer gallinas cuantas les bastaban. Y para esos animales y aves había otros trescientos hombres que tenían cargo de ellos.

Tenía Mutezuma otra casa donde tenía muchos hombres y mujeres monstruos, que había enanos, corcovados y contrahechos y otros con otras disformidades y cada una manera de monstruos en su cuarto por sí, y también había para éstos personas dedicadas para tener cargo de ellos, y las otras cosas de placer que tenía en su ciudad dejo de decir, por ser muchas y de muchas calidades.»

Sorprende aquí este último párrafo, de algo visto y comprobado por los propios españoles, y descrito por Cortés con sencillez pero muy elocuentemente. Sin duda se trataba de una especie de hospital, lazareto o asilo para personas deformes y enfermas de deficiencias físicas o psíquicas, pero ello resulta insólito en una cultura donde se sacrificaba a tanta gente sana a los dioses, mientras mantenían, al parecer de forma muy cuidada, a seres que cualquier otra civilización no hubiera dudado en exterminar como inútiles.

Por ello resulta admirable que Moctezuma y su pueblo fueran tan humanitarios y comprensivos con esa clase de deficiencias humanas. Ello habla mucho y bien en su favor y en el de los aztecas, contradiciendo esa fama de crueles que han cobrado a través de la Historia, y que tal vez se deba únicamente a prejuicios de índole religiosa de sus conquistadores, tras comprobar la existencia de sacrificios rituales.

Pocos historiadores han mencionado este punto como lo hace Cortés, a quien sin duda sorprendió y admiró también la existencia de esa especie de asilo para los más desgraciados.

Llegamos ahora a la vívida descripción de algo tan poco conocido como era el servicio doméstico de Moctezuma y la vida privada del emperador azteca en su propio palacio u hogar. Si creemos a Cortés, y no parece que en este sentido haya nada que dudar sobre su sinceridad, ya que con ello engrandecía la figura dominante y poderosa de Moctezuma, los detalles de su cotidiana existencia y las maneras en que era servido el monarca son relatados así:

«La manera de su servicio era que todos los días, luego en amaneciendo, eran en su casa más de seiscientos señores y personas principales, los cuales se sentaban y otros andaban por unas salas y corredores que había en la dicha casa y allí estaban hablando y pasando tiempo sin entrar donde su persona estaba. Y los servidores de éstos y personas de quien se acompañaban henchían dos o tres grandes patios y la calle, que era muy grande. Y todos estaban sin salir de allí todo el día hasta la noche.

Y al tiempo que traían de comer al dicho Mutezuma, asimismo lo traían a todos aquellos señores tan cumplidamente cuanto a su persona, y también a los servidores y gentes de éstos les daban sus raciones. Había cotidianamente la despensa y botillería abierta para todos aquellos que quisiesen comer y beber. La manera de cómo le daban de comer es que venían trescientos o cuatrocientos mancebos con el manjar, que era sin cuento, porque todas las veces que comía y cenaba le traían de todas las maneras de manjares, así de carnes como de pescados, frutas y yerbas que en toda la tierra se podían haber. Y porque la tierra es fría, traían debajo de cada plato y escudilla de manjar un braserico con brasa para que no se enfriase. Poníanle todos los manjares juntos en una gran sala en la que él comía, que casi todo se henchía, la cual estaba muy bien esterada y muy limpia y él estaba sentado en una almohada de cuero, pequeña, muy bien hecha. Al tiempo que comía, estaban allí desviados de él cinco o seis señores ancianos, a los cuales él daba de lo que comía y estaba en pie uno de aquellos servidores, que le ponía y alzaba los manjares y pedía a los otros que estaban afuera lo que era necesario para el servicio. Y al principio y fin de la comida y cena siempre le daban agua a manos, y con la toalla que una vez se limpiaba nunca se limpiaba más, ni tampoco los platos y escudillas que le traían una vez el manjar se lo tornaban a traer, sino siempre nuevos, y así hacían de los brasericos.

Vestíase Mutezuma todos los días cuatro maneras de vestiduras, todas nuevas y nunca más se las vestía otra vez. Todos los señores que entraban en su casa no entraban calzados y cuando iban delante de él algunos que él enviaba a llamar, llevaban la cabeza y ojos inclinados y el cuerpo muy humillado y hablando con él no le miraban a la cara, lo cual hacían por mucho acatamiento y reverencia.

Y sé que lo hacían por este respecto, porque ciertos señores reprendían a los españoles diciendo que cuando hablaban conmigo estaban exentos, mirándome la cara, que parecía desacatamiento y poca vergüenza. Cuando salía fuera el dicho Mutezuma, que era pocas veces, todos los que iban con él y los que topaba por las calles le volvían el rostro y en ninguna manera le miraban, y todos los demás se postraban hasta que él pasaba.

Llevaba siempre delante de sí un señor de aquellos, con tres varas delgadas altas, que creo se había porque se supiese que iba allí su persona. Y cuando lo descendían de las anchas tomaban la una en la mano y llevábanla hasta donde iba. Eran tantas y tan diversas las maneras y ceremonias que este señor tenía en su servicio, que era más espacio del que yo al presente tengo para relatarlas y aun mejor memoria para retenerlas, porque ninguno de los soldanes ni otro ningún señor infiel de los que hasta ahora se tienen noticia no creo que tantas ni tales ceremonias en su servicio tenga.

En esta gran ciudad estuve proveyendo las cosas que parecía que convenían al servicio de vuestra sacra majestad y pacificando y atrayendo a él muchas provincias y tierras pobladas de muchas y muy grandes ciudades, villas y fortalezas, y descubriendo minas y sabiendo e inquiriendo muchos secretos de las tierras del señorío de este Mutezuma como de otras que con él confinaban y él tenía noticia; que son tantas y tan maravillosas, que son casi increíbles y todo con tanta voluntad y contentamiento del dicho Mutezuma y de todos los naturales de las dichas tierras, como si de *ab initio* hubieran conocido a vuestra sacra majestad por su rey y señor natural y no con menos voluntad hacían todas las cosas que en su real nombre les mandaba.»

Vemos, pues, a través de tan largo y prolijo relato, cómo se retrataba aquí fielmente la vida cotidiana del emperador azteca, rodeado de lujos y de servidumbre, aunque todo ello bajo confinamiento obligado a partir de que Cortés tomara la decisión de hacerle su prisionero, sin resistencia por parte de Moctezuma.

El conquistador español era lo suficientemente hábil como para permitir todas estas ostentaciones y comodidades reales, sin negarle ninguno de aquellos privilegios, no se sabe si para no irritar más a los nobles de Tenochtitlán o para hacer la pantomima, ante el pueblo, de que su rey seguía siendo el que siempre había sido y que su voluntad era escrupulosamente respetada.

Taimado y astuto sin duda el hidalgo extremeño en todas sus acciones, encaminadas siempre a mantener la sartén por el mango, como vulgarmente se dice, y permitir todo aquello que en nada podía perjudicar sus intereses personales y los de su emperador.

No resulta extraño que él mismo se sintiera sorprendido por las exquisiteces y refinamientos de aquellos que él calificaba de «bárbaros» e «infieles», puesto que es de admirar todo lo que la cultura azteca nos enseña a través de este relato de un testigo presencial de excepción. El lujo, el boato de aquella corte, ofrece también otros aspectos de mucho más interés, como su cuidado con los animales, la existencia de parques zoológicos, el conducto de aguas, el esmero en proteger la naturaleza y el arte y refinamiento empleados en construcciones, instalaciones de recreo o de holganza, e incluso en la generosidad con que eran tratados los animales en sus recintos acuáticos.

Todo ello nos revela a un Moctezuma sensible a la belleza, preocupado por el cuidado y grandiosidad de su imperio y de sus ciudades, pero también interesado en preservar especies animales y en cuidar y proteger a las personas menos favorecidas o taradas.

Nadie, ni tan siquiera los más minuciosos historiadores de Moctezuma, pudo penetrar tan a fondo en la psicología del emperador azteca como tuvo ocasión de hacerlo Cortés, quien a su vez tuvo al menos la capacidad de dejarnos el legado de su testimonio personal, que no parece, en este caso, manipulado en absoluto, puesto que sólo admiración y perplejidad parecían producirle las maravillas que descubría paso a paso en aquella civilización.

Otra cosa es que luego el español no vacilara en deshacerse de un solo golpe de todos aquellos prodigios, llevado por su cólera, su soberbia y su fidelidad a un emperador y a una religión que mediatizaban su mente y obnubilaban sus ideas. Sin el integrismo religioso, en uno u otro sentido, las cosas hubieran podido ser muy distintas en nuestro planeta, desde que el mundo es mundo. Pero en nombre de la fe se han hecho tantas barbaridades a lo largo de la Historia, que no debemos sorprendernos demasiado por ello.

Aun así, nunca se sabrá cómo hubiera continuado aquel *status* tan especial, con un Moctezuma dócil y cautivo en su propia jaula de oro, controlando el español toda la situación pero mostrándose tolerante en otras cosas con el que había sido su anfitrión y ahora era su prisionero, si las cosas hubieran seguido siendo como hasta entonces y nada hubiera venido a turbar el ritmo de aquellos acontecimientos que marcaban un período de relaciones pacíficas entre conquistadores y conquistados.

Pero aunque resulta natural pensar que en algún momento esa ficticia paz se hubiera acabado rompiendo de alguna manera, por el más nimio error de unos o de otros, lo cierto es que ocurrió entonces algo que se encargó de alterar radicalmente la situación y variar el equilibrio de los acontecimientos en Tenochtitlán.

Cortés lo explica así en su carta segunda al emperador Carlos V:

«En las cuales dichas cosas y en otras no menos útiles al servicio de vuestra alteza, gasté de 8 de noviembre de 1519 hasta entrante el mes de mayo de este año presente —1520, exactamente—, que estando en toda quietud y sosiego en esta dicha ciudad, teniendo repartidos muchos de los españoles por muchas y muy diversas partes, pacificando y poblando esta tierra, con mucho deseo de que viniesen navíos con la respuesta de la relación que a vuestra majestad habían hecho de esta tierra, para con ellos enviar las que ahora envío y todas las cosas de oro y joyas que en ella había habido para vuestra alteza, vinieron a mí ciertos naturales de esta tierra, vasallos del dicho señor Mutezuma, de los que en la costa del mar moran, y me dijeron cómo junto a la sierra de San Martín, que son junto en la dicha costa, antes del puerto o bahía de San Juan, habían llegado dieciocho navíos y que no sabían quiénes eran, porque así como los vieron en la mar me lo vinieron a hacer saber. Y tras de estos dichos indios, vino otro natural de la isla Fernandina, el cual me trajo una carta de un español que yo tenía puesto en la costa para que, si navíos viniesen, les diese razón de mí y de aquella villa que estaba allí, cerca de aquel puerto de San Juan, solo y que había mirado por toda la costa de la mar cuanto su vista podía comprender.

Y que no había visto otro y que creía que era la nao que yo había enviado a vuestra sacra majestad, porque ya era tiempo que viniese y que, para más certificarse, él quedaba esperando que la dicha nao llegase al puerto para informarse de ella y que luego venía a traerme la relación.

Vista esta carta, despaché dos españoles, uno por cada camino, porque no errasen a algún mensajero si de la nao viniese. A los cuales dije llegasen hasta el dicho puerto y supiesen cuántos navíos eran llegados y de dónde eran y lo que traían, y se volviesen a la más prisa que fuera posible a hacérmelo saber. Y asimismo despaché a otro a la Villa de la Veracruz a decirles lo que de aquellos navíos había sabido, para que de allí mismo se informasen y me lo hiciesen saber, y otro al capitán que con los ciento cincuenta hombres enviaba a hacer el pueblo de la provincia y pueblo de Quacucalco, al cual escribí que el dicho mensajero le alcanzase, se estuviese y no pasase adelante hasta que yo segunda vez le escribiese, porque tenía nueva de que eran llegados al puerto ciertos navíos; el cual, según después pareció, ya cuando llegó mi carta, sabía yo de la venida de los dichos navíos y enviados estos dichos mensajeros, se pasaron quince días que ninguna cosa supe, ni hubo respuesta de ninguno de ellos, de lo que no estaba poco espantado.

Y pasados estos quince días, vinieron asimismo otros indios vasallos del señor Moctezuma, de los cuales supe que los navíos estaban ya surtos en el dicho puerto de San Juan y la gente desembarcaba y traían por copia, que había ochenta caballos y ochocientos hombres y diez o doce tiros de fuego, lo cual todo lo traía figurado en un papel de la tierra, para mostrarlo al dicho Mutezuma.

Y dijéronme cómo el español que yo tenía puesto en la costa, y los otros mensajeros que yo había enviado, estaban con la dicha gente y que les habían dicho a estos indios que el capitán de aquella gente no los dejaba venir y que me lo dijesen.»

Todos estos sucesos estaban preocupando y mucho a Cortés, que veía un peligro cierto en aquello, como él mismo ha confesado sin tapujos. Por ello siguió enviando mensajeros a la costa, incluido un religioso, para ser informado con más detalle. Así llegó a saber, definitivamente, que quien enviaba aquella fuerza era ni más ni menos que don Diego Velázquez, el gobernador de Cuba, con un tal Pánfilo de Narváez como capitán, vecino de la isla Fernandina.

Ésta era una pésima noticia para Cortés, a la que se unió en esos momentos otra en la que se informaba de que poco antes la ciudad de Veracruz había sido atacada por un ejército mexica, que había matado al jefe de la guarnición de la plaza, Juan de Escalante, durante la defensa de la misma.

Aún sin reponerse de esa mala noticia, llegaba la confirmación de que las naves llegadas a la costa nada tenían que ver con el emperador, sino con su actual enemigo, Diego Velázquez. Era obvio que su antiguo jefe, enfurecido por su acción de independizarse de él y emprender la conquista por su cuenta, estaba dispuesto a tomarse la revancha, costara lo que costara.

La misión de Narváez, dictada personalmente por Velázquez, era la de capturar a Hernán Cortés y llevarle preso a Cuba, para allí ser juzgado por rebeldía. El extremeño, ante la alternativa que se le ofrecía, no dudó lo más mínimo. No estaba dispuesto en absoluto a ser reo de Velázquez, por lo que dispuso las cosas de modo que el gobernador de Cuba no se saliera con la suya.

Para ello, necesitaba estar en la costa personalmente, al frente de su gente, y enfrentarse a Narváez. Dispuso todo para ello, y no muy seguro de lo que pudiera ocurrir en su ausencia en la ciudad de Tenochtitlán, optó por endurecer la prisión de Moctezuma, haciéndole encerrar en el propio palacio, como rehén, antes de partir hacia la costa con sus hombres.

Eligió dejar al mando de la ciudad a su segundo, Pedro de Alvarado. Ése iba a ser su gran error, porque ya hemos dicho que el rubio conquistador, paisano de Cortés, distaba mucho de ser lo político y astuto que éste, y su carácter era tan violento como cruel y poco prudente. Si a Cortés se le ha considerado por muchos como un hombre intolerante en lo religioso, Alvarado era cien veces peor

121

que él en ese y en otros sentidos, como pronto iba a dejar demostrado, para desgracia de todos y, sobre todo, para fatalidad del propio emperador, Moctezuma II.

Una vez encerrado el azteca en su propio palacio de Axayacatl, Cortés partió hacia el litoral con sus fuerzas, dejando a Alvarado al mando de la ciudad. Moctezuma tampoco opuso resistencia a esta medida extrema de Cortés, y su tolerancia le iba a resultar funesta tanto a él como a su pueblo.

Era el 21 de enero de 1520 cuando Cortés llegaba a la costa de Veracruz y se enfrentaba a Pánfilo de Narváez en una cruenta batalla nocturna, frente a fuerzas muy superiores en número a las suyas, pero contrarrestadas por la capacidad estratégica y militar de Cortés.

Se le podrán discutir y criticar muchas cosas al conquistador español, pero no su genialidad castrense y su osadía. Gracias a ellas, Pánfilo de Narváez resultó estrepitosamente derrotado, y el 22 de enero estaba capturada la totalidad de la flota enemiga, cuyas tripulaciones no tardaron en pasarse a los vencedores, rindiendo homenaje a Cortés.

Así supo frenar el extremeño una situación sumamente peligrosa para su persona, y apuntarse un triunfo sonado que hizo mucho daño a Diego Velázquez. Por desgracia, las cosas en Tenochtitlán no corrían parejas con los éxitos militares del conquistador en Veracruz, sino todo lo contrario.

Ajeno a todo eso, Cortés nombró entonces gobernador de Veracruz a Gonzalo de Sandoval, hombre de su mayor confianza, tras un fallido intento por nombrar a Alonso de Grado para tal puesto. El nuevo gobernador de Veracruz, además de gozar de la plena confianza de Cortés, era también de Medellín, e hidalgo al igual que su padre, alcaide de una fortaleza en Extremadura.

Por ese lado, el conquistador español se sintió tranquilo y decidió iniciar el regreso a Tenochtitlán, para seguir controlando la situación en aquellas tierras como hasta ese momento.

Pero las cosas iban a ser muy diferentes a su llegada a la gran ciudad azteca. En su ausencia, había ocurrido lo peor. Y él, ignorante de lo que le esperaba cuando inició el regreso desde las zonas costeras mexicanas, no podía ni imaginar siquiera lo que la bárbara actitud de su segundo, Pedro de Alvarado, había provocado en Tenochtitlán.

Cortés esperaba, a su llegada, encontrarlo todo más o menos como lo dejó, y que el ambiente pacífico y tolerante de los aztecas para con sus invasores iba a seguir presidiendo su relación con ellos, como sucediera hasta entonces.

Lo que en modo alguno podía esperar era el infierno que iba a encontrarse cuando pisara de nuevo Tenochtitlán.

Capítulo VII

— Tenochtitlan en armas —

TRAS hacer preso a Pánfilo de Narváez, logró Hernán Cortés vencer la resistencia de sus enemigos y deshacer los planes de Diego Velázquez en Veracruz, no sin sufrir bajas importantes y sin perder bastantes hombres de los que dejara encargados de velar por la seguridad de las posiciones costeras.

Tras acabar con los últimos focos adversarios e imponer el orden en la zona, preocupado por lo que pudiera ocurrir en Tenochtitlán en su ausencia, el conquistador español envió a un mensajero a la capital azteca, para informar a sus compañeros de allí el buen resultado de sus acciones contra Narváez. Cuál sería la sorpresa de Cortés, cuando regresó su emisario con una carta del alcalde de Tenochtitlán en que le daba cuenta de las peores nuevas imaginables.

En aquella carta se le advertía de que la ciudad toda estaba en pie de guerra, el edificio donde ellos se hacían fuertes incendiado y destruido en parte, y que de no ser por la intercesión de Moctezuma ante sus gentes, ya les hubieran asesinado a todos los españoles.

El emperador azteca había conseguido una especie de *status* de espera tensa, sin lucha, pero lo cierto es que, aun así, no se permitía salir a los españoles del recinto, seguían allí cercados, aunque sin atacarles, y ni un solo paso podían dar fuera del edificio, so pena de ser muertos en el acto.

Ante esta situación, tan inesperada como grave, Cortés lo dispuso todo para regresar de inmediato a Tenochtitlán, preguntándose qué había podido suceder para que un pueblo antes tan pacífico hubiera reaccionado de modo tan violento en su ausencia. Como no tenía nada de tonto, imaginó que a su segundo, Pedro de Alvarado, algo se le había ido de las manos para que tal desgracia sucediera.

No sabía bien Cortés lo acertado que estaba en sus suposiciones, aunque hasta llegar a Tenochtitlán no iba a saber exactamente cuánta y de qué calibre era la responsabilidad de su segundo en aquellos acontecimientos.

Lo cierto es que, apenas iniciado el regreso a Tenochtitlán con todas sus fuerzas militares, Cortés empezó a darse cuenta exacta de la magnitud del cambio. Ya no salían emisarios ni amigos o aliados de Moctezuma a recibirles por el camino, como sucediera antes, ni había gentes amables y hospitalarias esperándoles en las ciudades y provincias por las que pasaban. La percepción de la gravedad de la situación se iba haciendo más y más fuerte en la mente del español, que temía por toda la obra conseguida hasta entonces.

Cuando llegó a Tescucán, en la costa de la gran laguna, preguntó por la suerte de sus hombres en la capital, y se le informó de que todos o casi todos estaban vivos. Aquel *casi* llenó de zozobra al capitán extremeño, que se temió lo peor. Pero poco después, en canoa, llegaba hasta la ciudad uno de sus hombres, procedente de Tenochtitlán, en compañía de unos pocos nativos leales a ellos, y éste le informó que seguían cercados en el edificio donde tenían su cuartel general, aunque en realidad solamente habían caído muertos cinco o seis españoles a manos de los indios agresores.

Esto tranquilizó bastante a Cortés, quien se interesó por la actitud tomada por Moctezuma en aquel levantamiento, y para su sorpresa, puesto que temía que en el fondo todo era obra del emperador prisionero hasta entonces, se le informó de que Moctezuma en todo momento se había mostrado conciliador, amigo de los españoles, y que estaba tan cercado en el edificio como los propios conquistadores, aunque gracias a su mediación personal se les respetaba de momento, aunque sin permitir que entraran en la fortaleza viandas ni refuerzos y provisiones de ninguna clase. Por otro lado, Moctezuma mismo hizo llegar hasta él un mensaje en el que le pedía que volviera cuanto antes para que las cosas se normalizaran en la ciudad y todo volviera a ser como había sido hasta su marcha.

Este mensaje resulta otra sorpresa indudable en el comportamiento de Moctezuma en todos estos acontecimientos donde se estaban jugando los aztecas su futuro, ya que en vez de aprovechar la ocasión para recuperar su libertad y su hegemonía y poder sobre su pueblo y sobre los invasores, era evidente que tomaba partido por Cortés y por su lejano emperador español, en detrimento de su propio pueblo. Inexplicable y paradójica la actitud de Moctezuma en todo momento, que explica en gran parte lo que iba a ser el desenlace de su reinado y de su propia vida, dentro de poco.

Lo cierto es que esas noticias tranquilizaron bastante a los españoles, que habían llegado a temerse una verdadera matanza en Tenochtitlán, y ahora estaban seguros de que las bajas eran de momento no demasiado numerosas, aunque la situación sí resultara preocupante y denotara una situación de agresividad por parte de los aztecas totalmente nueva para ellos.

Pero realmente, ¿qué había sucedido en la capital durante la ausencia de Cortés para que las cosas dieran un cambio tan radical?

Sencillamente, que Pedro de Alvarado no estuvo a la altura de las circunstancias y no supo o no quiso reaccionar adecuadamente para evitar la reacción belicosa de los aztecas. Se reparte a partes iguales su responsabilidad en los hechos por causa de su poco juicio y su escasa habilidad de maniobra, con su natural violento y hasta cruel, que le hacía peligroso para cualquier situación donde se precisara de astucia y de serenidad para manejar las circunstancias.

También es cierto que las cosas venían ya de lejos, aunque estuvieran hasta entonces soterradas. Los nobles, dignatarios y personas influyentes de la corte no habían podido ver con buenos ojos la actitud de los españoles para con sus costumbres y, sobre todo, para con sus creencias religiosas. Todo esto sembró un poso de descontento en las clases altas y de mal disimulado rencor en religiosos y pueblo llano, que fue incubando a medida que pasaba el tiempo y que, con la ausencia de Cortés, se vio incrementado con mayor fuerza todavía. Por si ello fuera poco, Alvarado cometió su gran error.

Fue con motivo de la fiesta del Toxcatl, en la que, con motivo de la misma, un joven acostumbraba a ser preparado minuciosamente, como encarnación viviente de Tezcatlipoca, y se sacrificaba voluntariamente a sus dioses. Los aztecas intentaron recuperar esa parte sangrienta de su festejo, con toda su parafernalia de movimientos guerreros y exhibición de armas.

Alvarado, recordando la expresa prohibición de su capitán de realizar sacrificios humanos, así como preocupado por tanto movimiento militar en torno al acto, hizo que, adoptando precauciones por lo que pudiera pasar, se le ocurriera la idea de tomar como rehén a un príncipe de la corte de Moctezuma, al que los españoles llamaban «el Infante».

Eso provocó una reacción violenta en la nobleza reunida para el acto y entonces Alvarado, ni corto ni perezoso, hizo algo que Cortés menciona al emperador en sus escritos: ordenar una matanza de nobles de la corte de Moctezuma, para escarmiento y advertencia de todos los demás.

Los españoles, siguiendo sus órdenes, asesinaron a numerosos dignatarios y personalidades de Tecnochtitlan, esperando con ello asustar a los aztecas y evitar males mayores. Ocurrió precisamente todo lo contrario.

Indignados y furiosos por la dura represalia de Alvarado, el pueblo entero se sublevó contra los españoles, de forma ya abierta y masiva, sin atender a las llamadas a la prudencia hechas por su propio emperador, Moctezuma, a quien ya parecían no hacer caso sus súbditos.

Así, fueron obligados a encerrarse en el palacio que tomaran como cuartel general, donde se les sitió en toda regla, tras matar a varios de ellos. La resistencia española al ataque enemigo tuvo que ser desesperada, porque el enemigo les superaba de forma aplastante en número, y aunque sus armas fueran rudimentarias en comparación con las de los conquistadores, la diferencia numérica pesaba y mucho.

Toda la ciudad estaba levantada contra ellos, y no cesaban de venir habitantes de pueblos y ciudades vecinas, llamados por los insurgentes para unirse a sus fuerzas contra los invasores y su tiranía. Las cosas no podían ir peor para los sitiados, sin apenas alimentos, dentro de un recinto medio destruido y quemado, y rodeados por una masa enorme de nativos dispuestos a aniquilarles.

Solamente la esperanza del regreso de su jefe les mantenía firmes en sus puestos y con cierta moral, aparte de que, una vez más, Moctezuma se había puesto de su lado, pidiendo al pueblo moderación y exigiendo un alto en los ataques, que de mala gana y con no pocas reservas habían aceptado los menos agresivos de sus enemigos.

De este modo, el sitio se mantenía, en el palacio compartían ahora cautiverio tanto los hombres de Cortés como el propio Moctezuma, y la espera se hacía cada vez más angustiosa y difícil, ante el temor de un nuevo ataque indígena.

Cortés, mientras tanto, seguro de su fuerza y de su poder sobre los aztecas, regresaba a marchas forzadas hacia Tenochtitlán, seguro así mismo de que su sola presencia en la ciudad iba a ser la solución a todos los problemas y el fin de la guerra. Grave error el suyo, que iba a enfrentarle a una realidad que él mismo no alcanzaba aún a ver.

Lo cierto es que al final llegó a la ciudad, encontrándola medio desierta en sus calles, con señales evidentes de la violencia vivida, y pudo reunirse con los suyos sin encontrar resistencia. Naturalmente, los españoles acogieron a sus compatriotas con grandes muestras de alegría, convencidos también de que con aquello se resolvían todos los problemas y que la normalidad iba a volver a sus cauces.

Cortés pensó que todo estaba ya pacificado con su sola presencia y dispuso las cosas para volver a dejar que todo estuviera como antes de su partida, e incluso envió mensajeros a Veracruz, para informar allí de que todo volvía a estar en orden y resueltos los problemas.

Pero pronto los mensajeros enviados estuvieron de regreso en el palacio sitiado, ensangrentados y malheridos por el ataque de sus enemigos, que si bien les habían dejado entrar en el palacio, era ya otra cosa que los dejaran salir.

Uno de los mensajeros, herido a pedradas, explicó a Cortés que todos los puentes habían sido tendidos en torno a la ciudad y que por ellos venían turbas innumerables de nativos, armados y vociferantes, invadiéndolo todo con su presencia. Las calles desiertas que hallara Cortés a su llegada eran ahora hormigueros humanos, saliendo por miles los combatientes aztecas de todas partes.

Cortés, dispuesto a imponer su autoridad, se decidió a salir personalmente del recinto, con un grupo de sus hombres, armados y decididos a todo. Pelearon bravamente contra el enemigo, pero se vieron obligados a regresar dentro del recinto, ante la avalancha de adversarios que llegaba de todas partes, y sufriendo heridas todos los españoles, incluso el propio Cortés.

Ahora sí se percató el español de lo grave de la situación y, mientras restañaba sus ligeras heridas dentro del recinto donde se encontraba sitiado, reflexionaba sobre la forma de afrontar tan graves contingencias del modo más prudente posible. Demasiado tarde comprendía que lo que allí estaba sucediendo no era una simple revuelta popular sin más, y que se trataba de un levantamiento contra ellos en toda regla.

Era la guerra, con todas sus consecuencias.

Dispuso la artillería, que tenía fácil blanco por cierto, ya que los ataques enemigos eran desordenados y en masa, lo que hacía sumamente sencillo asestar los disparos sobre la multitud, causando gran número de víctimas, pero eso no parecía arredrar a los asaltantes, que de inmediato volvían a reorganizarse y llenar los huecos dejados por la artillería en sus filas. Varias veces intentó la salida el español, con sus tropas, y aunque en algunas de ellas logró quemar y destruir edificios cercanos y abatir a numerosos enemigos, tuvo que regresar en todas esas ocasiones a su cuartel, con bajas cada vez más numerosas.

No había de momento más víctimas mortales, pero se contaban ya en cincuenta o sesenta los españoles heridos de diversa consideración, y cada intento de salida era un nuevo fracaso que, además, traía consigo el intento de sus adversarios de entrar en el edificio sitiado. Resistir esos embates y evitar que el asalto tuviera éxito, empezó a costar vidas a la gente de Cortés.

Dentro del recinto, igualmente, se hallaban prisioneros Moctezuma y algunos otros nobles capturados en los primeros días por Alvarado como rehenes. Entre éstos no halló el español apoyo ni colaboración alguna, mientras que en cambio Moctezuma se le ofrecía constantemente para intentar calmar a su gente.

El conquistador no se decidía a permitir que Moctezuma saliera del recinto, viendo poco claro el papel de mediador que el emperador azteca pudiera representar ya a estas alturas. La situación parecía del todo desbordada, las masas puestas en pie de guerra contra ellos eran cada vez más nutridas, sus ataques más fieros, su desprecio a la vida más acentuado, y todo ello no hacía sino poner las cosas más y más difíciles a los sitiados.

Con Moctezuma estaba prisionero allí un hijo suyo, pero éste no parecía garantía alguna de que las cosas pudieran mejorar, y ni siquiera se preocuparon los españoles de su persona para intentar nada positivo de los sitiadores, que por el momento no parecían dispuestos a admitir un intercambio de mensajes o un intento por parlamentar en busca de una solución.

En una de sus audaces salidas, Hernán Cortés y su gente consiguieron ahuyentar a la masa enemiga que cercaba el palacio, llegando a una cercana agrupación de edificios, que incendiaron en prueba de fuerza, matando a todos sus ocupantes. Tuvieron que regresar a toda prisa a su recinto sitiado y perdieron algunos hombres en el camino, pero lograron cerrar a tiempo las puertas sin que el enemigo lograra penetrar en la fortaleza.

Eso exaltó el ánimo de los sitiadores, que incrementaron la furia de sus ataques. Suerte que la diferencia de armamento era todavía decisiva, ya que las piedras, las jabalinas y otras armas aztecas poco o nada podían contra la artillería y los arcabuces y fusiles españoles. Otro cantar era cuando llegaba el cuerpo a cuerpo, en que la superioridad en número de sus adversarios resultaba poco menos que demoledora.

Las cosas se mantenían de este modo en Tenochtitlán, y las esperanzas de una paz inmediata o de una victoria española se veían cada vez más lejanas para los sitiados. Los mensajes enviados por Cortés al exterior, tratando de solicitar un diálogo entre sitiados y sitiadores para alcanzar un acuerdo, recibían la callada por respuesta y no parecía tarea sencilla que las cosas cambiaran pronto.

Toda la ciudad era como un enjambre furioso de gentes airadas y violentas, las calles aparecían repletas de enemigos, los edificios circundantes servían de punto de partida a la lluvia de piedras y de flechas que caía incesantemente sobre el palacio sitiado, haciendo imposible asomar siquiera para empeño alguno.

Toda la superioridad armamentística de los españoles sería de poco en aquella forma de lucha contra auténticos hormigueros humanos, y menos mal que las culebrinas, falconetes, bombardas y demás piezas artilleras, unidas a las ballestas, pistolas y arcabuces, mantenían a raya al enemigo, impidiendo que la reducida fuerza española fuera exterminada sin remedio.

Porque lo cierto es que las diferencias de armamento eran, hasta ese momento, una de las bazas favorables a los intereses españoles como lo fuera la existencia de la caballería, y una de las razones por las que los conquistadores habían sido temidos en todo momento y considerados gentes invencibles. Los soldados de Cortés se protegían con casco de acero, gola y coraza con escarcelas para el abdomen. Otros usaban la brigantina, una prenda de cuero con láminas de acero, mucho más flexible y más ligera que la coraza.

De las armas de fuego de los conquistadores, era el arcabuz el más utilizado y práctico, pese a las dificultades y peligro en su manejo. Claro que el ruido y fogonazo que provocaba causaba un efecto psicológico muy intenso en sus enemigos indígenas, y eso por sí solo resultaba ya de la mayor eficacia. Su distancia de eficacia no sobrepasaba los cincuenta metros, y no se recomendaba disparar hasta que el enemigo estuviera a unos quince metros, para asegurar mejor el blanco. Los arcabuceros acostumbraban a trabajar formando un equipo, en el que mientras unos disparaban otros recargaban las armas.

En la lucha cuerpo a cuerpo, sin embargo, nada como las lanzas y alabardas, salvo una notable excepción que los españoles sabían utilizar muy bien: la espada.

Era un arma tan útil para los de a caballo como para los de a pie, y bien manejada constituía una formidable defensa y un inmejorable ataque contra cualquier adversario, ya que tanto hería su punta como su filo. Frente a la espada, las armaduras de algodón y los escudos de cuero de los indios poco podían hacer.

Pero ahora, sitiados como estaban, y teniendo que salir en contadas ocasiones y por sorpresa, para luego recular y encerrarse de nuevo en el edificio, el arma vital para Cortés y su gente era, sin duda alguna, la artillería. Dentro del recinto contaban con culebrinas y también con algún ribadoquín de bronce, así como falconetes. Los disparos de estas armas pesadas no siempre eran eficaces, pero al menos causaban el temor y el respeto de sus atacantes, aunque los efectos destructores no resultaran definitivos.

Contra ese armamento, la verdad es que los aztecas solamente contaban con su valor, su indomable energía y sus rudimentarios modos de lucha, además de unas defensas impropias de las armas a las que se enfrentaban, lo que causaba numerosísimas bajas en sus filas. Pero ellos contaban ya con eso, seguros de la superioridad armamentística de sus invasores, y se lanzaban a la lucha sin demasiadas estrategias, pero en número y valor aplastantes.

El hecho de ver sitiados a sus enemigos, y comprobar que no eran tan fieros como los pintaban, y que a fin de cuentas eran como todo ser humano, capaces de ser heridos o de morir, y obligados a encerrarse en un recinto para no morir en la lucha, hacía que la moral del pueblo azteca levantado en armas fuera cada vez más sólida y fortalecida, lo que era un factor más en contra de la posición española, de por sí ya no demasiado boyante.

El asedio se prolongaba, para desesperación de Cortés y sus hombres, que veían cada día más lejana la posibilidad de salir de allí con vida. Se construyeron con madera una especie de torres móviles, para con ellas disparar sus armas contra los sitiadores, lo que hizo que éstos, al sufrir numerosas bajas, se situaran a más prudencial distancia del punto sitiado. Ello permitió a Cortés, en una salida desesperada con algunos de sus hombres, conseguir provisiones en un edificio cercano, regresando de inmediato a su asedio bajo un diluvio de piedras y flechas, que hirió a algunos, Cortés entre ellos.

Las cosas no tenían trazas de cambiar, y fue entonces cuando Moctezuma pidió ver a su carcelero. Cortés acudió a ver al emperador, que ya no se sabía si era cautivo de Cortés mismo o de su proprio pueblo ahora, y escuchó de sus labios lo que el emperador azteca tenía que proponerle.

Moctezuma insistía en su papel de mediador en la crisis, seguro de que su pueblo oiría su llamada y rendiría sus armas, dando por terminada la lucha. Le recordó a Cortés que, hasta entonces, todo lo que él ordenara hacer a su gente se había hecho con total obediencia, aun habiendo cosas que herían profundamente sus sentimientos, sobre todo los religiosos.

Cortés reflexiono esta vez, diciéndose que nada perdía con intentarlo. Moctezuma tenía razón al menos en algo: nunca, hasta el momento, su pueblo había hecho oídos sordos a sus decisiones y demandas, y todo cuanto él pidiera en favor de sus visitantes se había cumplido al pie de la letra.

Al fin, decidió probar fortuna y aceptó el ofrecimiento del que fuera hasta poco antes su regio cautivo. Moctezuma sería ante su propio pueblo el mediador para alcanzar finalmente la paz.

Aliviado, Moctezuma se dispuso a aparecer en público ante su gente, para reclamar el fin de las hostilidades, al tiempo que pedía perdón a Cortés, en nombre de su pueblo, por aquella actitud que pudiera ofender al español y causar el enojo de su lejano emperador.

Moctezuma tenía demasiada buena fe en ese momento y no se daba exacta cuenta de la magnitud de su error, al confiar tan ciegamente en la eficacia de su intercesión personal en la contienda. Tampoco Cortés podía prever lo que estaba por acontecer, pese a que reservas sobre el resultado de aquella maniobra sí que tenía.

Lo cierto es que en aquel momento Moctezuma se lo jugaba todo a una sola carta. Incluso su propia vida.

Y perdió el envite.

Capítulo VIII

— La muerte de Moctezuma —

L LEGAMOS al momento crucial de la historia, que ha sido muy debatido por los historiadores e incluso por detractores y por defensores de Hernán Cortés, así como por críticos y defensores del propio Moctezuma II, y es el de su propia muerte.

Se ha escrito mucho sobre las circunstancias exactas de esa muerte y sobre el autor o autores de la misma. A todos parece cegarles su partidismo en el tema y se obstinan en defender posturas diametralmente opuestas para explicar el trágico final del emperador azteca.

Vamos a intentar ser neutrales en la cuestión y ver las cosas a la luz de la realidad escueta, buscando la lógica en los acontecimientos que condujeron al final del gran monarca de los aztecas, al margen de que fuera víctima de su propia falta de voluntad y de su erróneo comportamiento de docilidad bajo el mandato imperioso del que fuera en principio su huésped, luego su aliado y finalmente su carcelero.

Según fuentes españolas, Moctezuma fue víctima de su propio pueblo, y éste fue quien acabó con su vida, harto de que estuviera en todo momento al lado de los conquistadores, traicionando sus propias creencias y las de sus súbditos. Según los aztecas, fueron los españoles quienes asesinaron a Moctezuma, aunque después de haber sido herido por su vasallos cuando intentaba mediar en la contienda e imponer la paz.

De un modo u otro, las circunstancias fueron similares en cuanto a los hechos, y aún existe una tercera versión que se opone a las dos anteriores, afirmando que Moctezuma puso fin a su vida por sí mismo, al negarse a tomar alimentos, una vez herido por sus gentes, presa de la amargura y del abatimiento por la actitud de su pueblo hacia él. Como se ve, existen versiones para todos los gustos, aunque en todas ellas se coincide al menos en un único punto: que el final de su vida comenzó con aquellas pedradas que le hirieron y condujeron posteriormente a la muerte.

Nadie puede, pues, negar lo fundamental. Y eso es, ni más ni menos, que Moctezuma, para su gente, había llegado a perder ya todo respeto y afecto, que no le consideraban digno de ser su rey y señor, y que el pueblo había tomado ya su propia decisión, eligiendo a otras personas como gobernantes.

Por ello, cuando salió ante las masas que rodeaban el edificio sitiado en que se defendían los españoles, para lanzar una proclama que detuviera la lucha y permitiera volver a reanudar las relaciones de amistad con el invasor, la acogida que obtuvo de sus súbditos no fue ni remotamente la que esperaba él y el propio Cortés.

Al verle en persona y oír su voz, la masa humana que les rodeaba no sólo no se sometió a sus deseos, como ocurriera hasta entonces, sino que estalló todo el resentimiento acumulado ante los privilegios otorgados a aquellos extranjeros que habían venido a llevarse sus riquezas, a destruir sus dioses y a imponerles sus leyes, para culminar con el exterminio de muchos de sus nobles más importantes, y se produjo lo inevitable: la reacción humana no fue la prevista, y llovieron piedras sobre el hasta entonces venerado emperador azteca, erguido ante su pueblo.

Hernán Cortés lo relata con sencillez en sus documentos escritos al emperador Carlos V:

«Y el dicho Mutezuma, que todavía estaba preso, y un hijo suyo, con otros muchos señores que al principio se habían tomado, dijo que le sacasen a las azoteas de la fortaleza y que él hablaría a los capitanes de aquella gente y les harían que cesase la guerra.

Y yo le hice sacar, y en llegando a un pretil que salía fuera de la fortaleza, queriendo hablar a la gente que por allí combatía, le dieron una pedrada los suyos en la cabeza, tan grande, que de allí a tres días murió y yo le hice sacar así muerto a dos indios que estaban presos y a cuestas lo llevaron a la gente y no sé lo que de él hicieron, salvo que no por eso cesó la guerra y muy más recia y cruda cada día.»

Como se ve por el testimonio directo de Cortés, poco o nada se aclara al respecto, y la narración es tan breve como ambigua, dejando abiertas todas las posibles expectativas a lo sucedido. Choca un poco, eso sí, que acontecimiento tan importante para ellos y para todo Tenochtitlán merezca un párrafo tan escueto por parte del español, lo que da pie a sospechar que no quiso ahondar demasiado en los hechos posteriores a la indudable herida de piedra sufrida por Moctezuma ante su pueblo levantado en armas.

¿Trata de ocultar a su propio emperador su papel en el fallecimiento de Moctezuma? ¿O precisamente porque nada tiene que ocultar despacha el asunto con unas pocas líneas, limitándose a dejar constancia de que Moctezuma ya no le era de utilidad alguna ante la hostil agresividad de su pueblo incluso hacia su persona?

Estamos, posiblemente, ante un misterio que nunca se podrá aclarar, y que cada cual llevará a su propio terreno para justificar lo sucedido como culpa de unos o de otros. Bien es cierto, eso sí, que lo antes apuntado era una verdad imprevisible poco antes para Cortés y sus fines: Moctezuma había dejado de serle útil.

Hasta entonces, el regio prisionero no había sido sino un instrumento sumamente aprovechable para el conquistador, que tenía en él al interlocutor ideal para convencer a los aztecas de todo cuanto le viniera en gana. Como rehén, había sido de un valor inapreciable, pero, una vez dilapidado por su propio pueblo, dejaba ya de tener todo significado, y por tanto su cautiverio dejaba de tener sentido y su vida carecía de valor para él.

Todo eso induce a suponer que Cortés pudo sentir la tentación de deshacerse de él, dejándole morir o haciéndole asesinar, como aseguran sus más firmes detractores. Pero también cabe en lo posible que las propias heridas sufridas por Moctezuma bajo una lluvia de piedras fueran lo bastante graves como para ocasionar su muerte, sin necesidad de intervención ajena alguna.

Por otro lado, existe la versión de que el propio Moctezuma dejó de comer, malherido y febril, negándose a tomar alimentos ante actitud de sus hasta entonces fieles súbditos, y que una extrema debilidad, unida a la gravedad de las pedradas, le condujo inevitablemente a la muerte en ese período, mencionado por Cortés, de tres días.

Porque con la lógica en la mano, y conociendo bien el temperamento fuerte del conquistador español y lo desesperado de aquella situación, encerrados dentro de una fortaleza sitiada, ¿resulta razonable suponer que tuviera la paciencia de aguantar tres largos días de asedio para hacer asesinar a su prisionero herido? ¿Ganaba algo con prolongar durante tres jornadas enteras las muerte de un cautivo ya inútil, mientras toda la ciudad hervía en violencia bélica contra ellos?

Es obvio que, cuando entregó a Moctezuma muerto a su gente, el cadáver no podía ofrecer signos claros de descomposición, sino aparecer como recién muerto. Por tanto, es obvio que acababa de morir, tres fechas después de ser apedreado públicamente. Tres días que no hubiera esperado en modo alguno Cortés en hacer matar a su prisionero, de haberlo decidido así.

Por ello, y tratando de ser neutrales y llevarnos por la pura lógica de acontecimientos, debemos suponer que durante esos tres días Moctezuma debió agravarse por las pedradas sufridas y, debilitado por ellas y por las secuelas posteriores, unido todo ello a su propia amargura y decepción, llegar a aquel estado anímico y físico en una agonía culminada con su muerte.

Sin pretender en ningún momento justificar a Cortés o defenderle de cosa alguna, puesto que era culpable de muchas cosas, entre ellas la propia situación creada con los aztecas y que conducía a la guerra, vamos a presuponer esta vez que, al menos en cuanto a la muerte de Moctezuma, era inocente de todo acto criminal, y que se limitó a devolver su cadáver al pueblo cuando comprobó que estaba muerto y de nada le servía.

Pudo hacerlo ejecutar como venganza del feroz sitio a que era sometido, enviando luego su cadáver a los aztecas, como un medio de revancha y advertencia de su poder, pero no lo hizo así, y ello hace suponer que no pretendió en modo alguno causarle daño mortal a su prisionero, entre otras cosas porque sabía que eso no conducía a nada ni mejoraba o empeoraba la situación en modo alguno.

Si las cosas sucedieron de otro modo, nunca lo sabremos. Pero nuestra conclusión es que, lamentablemente, Moctezuma fue víctima de su propia debilidad ante los extranjeros conquistadores, que fue demasiado fatalista por culpa de sus creencias, que se doblegó en exceso ante los españoles y sus leyes, que toleró el desmantelamiento de los templos aztecas y la prisión propia y de sus mejores caballeros y vasallos, que se dejó manejar al antojo de su captor y no supo estar a la altura que se esperaba de uno de los mejores y más brillantes emperadores que tuvo la nación azteca.

Pagó todo eso muy caro, y su muerte fue consecuencia tanto de sus debilidades como de la soberbia de Cortés, que se creyó siempre demasiado seguro de sí mismo como para prever un enfrentamiento con el pueblo al que creía sometido dócilmente.

Aún vendrían otros reyes aztecas a suceder al gran Moctezuma, pocos ya por cierto, pero ninguno alcanzó su nivel, entre otras razones porque llegaba la decadencia de aquel gran pueblo, y el imperio se desmoronaba sin remedio por no haber sabido frenar a tiempo la expansión de sus invasores.

Con la muerte de Moctezuma, pareció por unos momentos, sin embargo, que la paz era aún posible, ya que, según relata el propio Cortés, de la misma zona de donde partieran las piedras que hirieron fatalmente al monarca, llamaron a Cortés para pedirle parlamentar con unos capitanes aztecas.

Cortés se avino a ese parlamento y discutió con unos oficiales de Tenochtitlán, a los que pidió que cesaran las hostilidades, que él siempre había sido amistoso con ellos y que no había razón para aquella guerra. La respuesta de los parlamentarios aztecas fue escueta: los españoles debían irse definitivamente de sus tierras y no volver a ellas. De ese modo, les dejarían marchar en paz y la guerra tocaría a su fin. En caso contrario, la lucha iba a continuar hasta el fin de todos los españoles o de todos los aztecas.

Cortés, temiendo que la palabra dada por los enemigos no fuera sincera, y que apenas salieran de su fortaleza fueran exterminados o apresados por los nativos, replicó que él no temía a nadie y que si hacía ruegos de paz no era por miedo, sino por no destruir tan hermosa ciudad y causar más pérdidas de vidas humanas.

La respuesta de los capitanes aztecas fue rotunda en ese punto: o se marchaban de la ciudad, o la guerra continuaría hasta el fin.

Eso fue todo el parlamento. Volvieron a sus posiciones, y todo continuó como antes o más encarnizadamente todavía. Los aztecas lanzaron varios ataques masivos que los españoles pudieron repeler dificultosamente.

Por otro lado, y estando cercana a ellos una enorme edificación religiosa, en forma de pirámide escalonada, desde donde eran hostigados fuertemente los españoles, y desde cuyos grandes escalones o niveles disparaban igualmente sacerdotes que soldados aztecas, el español decidió dar un golpe de audacia y salir afuera a tratar de acabar con aquella amenaza que tanto daño les estaba causando.

Aunque malherido en una mano —Cortés perdió dos dedos en una de las escaramuzas—, condujo a un grupo de sus hombres contra la pirámide, logrando escalarla audazmente y derrotando a numerosos enemigos apostados en ella. Ambos bandos lucharon con una valentía tremenda, lo que ocasionó bajas por ambos lados, antes de ser conquistada la edificación y exterminados sus defensores. Tras rescatar de aquel edificio las imágenes religiosas impuestas allí por los españoles, éstos regresaron a su fortaleza, tras incendiar la torre escalonada y dejarla inservible para nuevos ataques.

Esto pareció calmar un poco al enemigo, que aflojó por un tiempo en sus ataques constantes a la fortaleza sitiada, aunque bien sabía Cortés que eso era solamente temporal y que no tardarían en reaccionar con toda su belicosidad.

Así sucedió en poco tiempo. Los aztecas se dedicaron a levantar sus calles y dejarlas impracticables, de modo que a los sitiados les fuera imposible aventurarse fuera de allí, ni tan siquiera en busca de los canales de agua dulce donde aprovisionarse. Esa carencia de agua potable, unida a la de alimentos, que ya escaseaban de forma alarmante dentro de la fortaleza, iba resultando angustiosa, y todos sabían, tanto sitiadores como sitiados, que la carencia de comida y de agua acabaría provocando la rendición o la muerte de los españoles.

Las cosás se iban poniendo difíciles por momentos, y Cortés echaba en falta la presencia de Moctezuma cerca de él, puesto que, mientras tuvo cautivo al emperador azteca, siempre tuvo seguridad de que podría salir adelante gracias a la mediación del azteca. Ahora, sin aquel valioso rehén, todo era mucho más complicado y no se veía solución a tan desesperado trance. Cierto que aún tenía unos cuantos prisioneros, entre ellos un importante religioso azteca, pero no parecían rehenes de importancia para los sitiadores, que ni siquiera se molestaron en parlamentar por ellos, salvo en el caso del religioso, al que sí pidieron con insistencia, prometiendo cesar en la lucha a cambio de su libertad.

Cortés se apresuró a aceptar esta petición, creyendo ver por fin una salida al sitio a que eran sometidos y a la guerra misma. Pero todo fue un simple espejismo. Los aztecas volvieron a la carga, tras una serie de conversaciones que no condujeron a nada definitivo, y Cortés sospechó que todo era una simple maniobra de distracción para reagruparse y reorganizarse las fuerzas enemigas, ahora mucho más numerosas, atacándoles tanto desde tierra como desde los canales y la laguna, en fuerzas miles de veces superiores en número.

La resistencia prosiguió heroicamente por parte de los conquistadores, a los que no se les podía negar el valor, pero la situación se iba haciendo insostenible por momentos, y Cortés empezó a pensar seriamente en la única posibilidad que existía de salir con vida de aquel trance: abandonar la fortaleza y huir de Tenochtitlán sin ser vistos, antes de que todos ellos fueran exterminados sin remedio.

Claro que pensar aquello era una cosa, y hacerlo, otra muy distinta. Con aquella ingente cantidad de enemigos invadiendo toda la ciudad en torno a la fortaleza, era casi imposible salir de allí sin ser observados.

Pero no había otra alternativa. Se trataba de jugarse la vida en aquel desesperado empeño o renunciar a todo y morir, dejándose matar entre aquellos muros. Los rehenes de Cortés eran ya muy pocos en realidad, y tampoco creía que le sirvieran de mucho, llegado el caso, aunque resolvió llevarlos consigo en su intento de evasión.

Eran esos rehenes, entre otros, tres hijos de Moctezuma, un varón y dos hembras, y un hermano del difunto monarca azteca, así como varios nobles de su corte. Por otro lado, estaba el oro y joyas acumulados en varias salas, para llevarlos como presente a su emperador Carlos V. Debía renunciar a muchas de aquellas riquezas, porque el tesoro no haría sino cargarles de un lastre excesivo en su intento de fuga, pero Cortés no quiso dejarlo todo allí, sino cargar con lo más posible, utilizando para ello una yegua de carga que fuera con ellos.

Así, al menos, lo refiere Cortés en sus escritos, y así debió ser. Los detalles de la salida nocturna de los españoles, diezmados, malheridos o enfermos, resulta patética incluso en el lenguaje siempre orgulloso y arrogante del hidalgo español:

«Desamparada la fortaleza, con mucha riqueza así de vuestra alteza como de todos los españoles y mía, me salí lo más secreto que yo pude, sacando conmigo un hijo y dos hijas del dicho Moctezuma y al otro su hermano, que yo había puesto en su lugar, y a otros señores de provincias y ciudades que yo tenía allí presos. Y llegando a los puentes, que los indios tenían quitadas, a la primera de ellas se echó el puente que yo traía hecho, con poco trabajo, porque no hubo quien lo resistiese, excepto ciertas velas que en ella estaban, las cuales apellidaban tan recio que antes de llegar a la segunda estaba infinita gente de los contrarios sobre nosotros, combatiéndonos por todas partes, así desde el agua como de la tierra, y yo pasé presto con cinco de caballo y cien peones, con los cuales pasé a nado todos los puentes y los gané hasta la tierra.

Y dejando aquella gente a la delantera, torné a la rezagada, donde hallé que peleaban reciamente y que era sin comparación el daño que los nuestros recibían, así los españoles como los indios de Tascaltecal que con nosotros estaban, y así a todos los mataron y muchos naturales de los españoles; y asimismo habían muerto muchos españoles y caballos y perdido todo el oro y las joyas, ropa y otras muchas cosas que sacábamos y toda la artillería.»

Se prolonga el relato de Cortés en tono más o menos parecido, retratando la angustiosa situación por la que pasaban en aquella fuga nocturna, desesperada, en que eran diezmados sin piedad por sus atacantes.

Empezaba así la tristemente famosa *Noche Triste* de los españoles, aquel inolvidable 30 de junio de 1520, durante la cual llegaría a perder Hernán Cortés ciento cincuenta de sus soldados, dos mil aliados indígenas, cuarenta y cinco caballos, armas, bagajes y riquezas, aparte de perder a varios capitanes suyos, entre ellos uno de su confianza, como era Juan Velázquez de León.

Por cierto que el valor de sus rehenes, tras la muerte del emperador Moctezuma, demostró ser muy pobre y de ningún valor ante el enemigo, ya que de aquella nocturna jornada de tan amargo recuerdo para los conquistadores y de tan sonada victoria para los nativos, ni tan siquiera los dos hijos y la hija de Moctezuma salieron con vida, y su hermano Cacamatzin pereció también bajo el ataque de sus propios compatriotas.

Lograron salir de Tenochtitlán, es cierto, pero terriblemente diezmados, derrotados en toda línea y reducidas sus fuerzas al mínimo. Nadie, viendo aquella situación de los españoles, hubiera dado nada por su suerte. Eran una fuerza altiva y orgullosa, vencida por la potencia numérica de todo un pueblo en armas.

Y, sin embargo, paradójicamente, la cosas iban a dar pronto un vuelco imprevisible, demostrando una vez más que la suerte iba aliada con el hidalgo extremeño y que el infortunio de los aztecas provenía más de sus creencias y rituales que de su valor y de su capacidad en la lucha.

Eso se iba a ver pronto, una vez transcurrida la *Noche Triste,* y precisamente cuando más desesperada era la situación de los pocos y extenuados españoles supervivientes. Los aztecas, ganadores de aquella batalla, iban a dejarse perder su victoria final por un simple incidente sin aparente valor.

De nuevo, como en vida de su emperador Moctezuma, una vez muerto éste, su fatalismo les iba a jugar una mala pasada.

Tercera parte
Tras la muerte de Moctezuma

Capítulo Primero
— La «Noche Triste» —

AUNQUE los aztecas habían elegido ya nuevo gobernante antes de morir Moctezuma —tal vez por eso mismo no dudaron en apedrearle los que antes habían sido sus leales—, lo cierto es que la noticia del trágico final del que fuera amo y señor de todo el imperio llegó a los confines del mismo, y al iniciarse la retirada de los españoles, una vez roto el sitio en Tenochtitlán, empezó una dura campaña de hostigamiento contra los fugados, que abarcó casi todas las regiones del país.

Los emisarios habían sido enviados por el hermano de Moctezuma, Cuetravicín, a la sazón sucesor del fallecido emperador, para informar a los pueblos vecinos y amigos de lo acaecido en la capital, y para que de tal modo perdieran todo temor supersticioso a los españoles, que se había demostrado ya que no eran, ni mucho menos, tan inmortales ni tan dioses como ellos creyeran en un principio.

Cuetravicín extendió, así mismo, la promesa de que todos los súbditos de Moctezuma quedarían dispensados a partir de ese momento de abonar todos los tributos y servicios a la corona, y que quedaban exentos de toda clase de pagos, siempre que combatieran con toda su fuerza a las tropas cristianas extranjeras.

Así se hizo por parte de pueblos, ciudades y provincias, dificultando de tal modo la retirada de los españoles, que éstos se veían hostigados por doquier, y solamente les quedaban las pocas tribus amigas o aliadas de antes que, por el hecho de haber sido favorables a Cortés anteriormente, eran a su vez acosadas y combatidas por los hombres de Cuetravicín, y poco o nada era lo que podrían hacer por apoyar o proteger a los conquistadores en fuga.

De este modo, no resulta raro imaginar lo difícil de la situación de los pocos españoles supervivientes, diezmados y agotados, teniendo que alejarse cuanto les fuera posible de Tenochtitlán, en una retirada tan dificultosa como llena de adversidades. Su líder, Hernán Cortés, procuraba mantener la calma y la serenidad en tan complicados momentos, mas ello no era nada fácil, porque los combatientes aztecas ahora eran tantos como aguerridos, y el hostigamiento a sus escasas fuerzas, constante y muy férreo.

Se veían obligados a buscar un refugio donde poder, al menos, reorganizarse y evitar el desastre total, y su objetivo era en concreto la provincia de Tlaxcallan, para buscar la provincia de Tepeaca, que se había rebelado tiempo atrás contra Moctezuma y su poder, y por tanto cabía la esperanza de poder refugiarse en ella y recuperar fuerzas suficientes. En principio, para no ser exterminados. Y después, si ello era posible y como Cortés pensaba, para recuperar las fuerzas perdidas y poder vengar la derrota, cayendo de nuevo sobre Tenochtitlán, esta vez en son de guerra y no como visitantes.

Si dice que la salida de la capital hubiera sido silenciosa, y hubiera pasado inadvertida por completo a sus enemigos, de no haber mediado para los conquistadores el infortunio de que una anciana azteca, presa de insomnio, advirtió la fuga de los españoles de la fortaleza en que se hallaban sitiados y dio la voz de alarma. Eso desencadenó la batalla para evitar la fuga, y es por ello que en el suceso hubo tantas y tantas bajas españolas, convirtiéndose la que iba a ser una retirada callada y ordenada en una masacre espantosa, que diezmó, y de forma tan tremenda a los conquistadores en fuga, que apenas un puñado de ellos sobrevivió a los combates, y aun así, muchos de ellos malheridos.

De ahí que la larga jornada nocturna de las tropas de Cortés, reducidas a su más mínima expresión, haya recibido el nombre de «Noche Triste», por el que ha pasado a la historia. El nombre es un simple eufemismo, porque no fue una sola la noche de retirada en desorden y dolor, sino cuatro largos días, durante los cuales persistió el acoso de los aztecas, bravos y decididos guerreros llegado el caso, en contraste con su antes pacífica y tolerante actitud, que tanto engañara a los españoles sobre su real condición, y con ello las dificultades de los retirados crecían por momentos, haciendo más y más complicada su situación.

Pese a ello, Cortés evitó la matanza total, consiguiendo que él, algunos de sus lugartenientes de mayor confianza y un reducido grupo de soldados a su mando llegaran de mejor o peor manera, pero al menos con vida, a regiones más seguras.

Lo que ellos no sabían es que los mandos aztecas conocían bien su recorrido, y se estaban apresurando a tenderles una última y definitiva trampa que, de funcionar, y ellos esperaban convencidos de que así iba a ser, terminaría hasta con el último de los conquistadores extranjeros.

Tenían a su favor los aztecas tanto su superioridad numérica, realmente aplastante, como su capacidad para guerrear, que bien demostrada había quedado en las brillantes campañas bélicas llevadas a cabo por aquel gran caudillo militar que había sido Moctezuma II. Aun sin armaduras metálicas, cascos, espadas ni arcabuces, los nativos mexica eran lo bastante fuertes como para componer una formidable máquina de guerra, llegado el caso. El erróneo concepto que Cortés y su gente hubieran podido tener de ellos, a la vista de su comportamiento amistoso, dócil y obediente a sus exigencias mientras vivió Moctezuma que se dejó llevar por sus creencias, tenía que cambiar ahora por fuerza, ante el despliegue bélico de su enemigo y la capacidad guerrera demostrada por sus soldados.

Demasiado tarde, los españoles comprendían su error pasado: la convicción de que aquellos «infieles» eran fácilmente manejables se disipaba por completo, y en el fondo debían de aceptar que nunca debieron llegar tan lejos en la imposición de sus modos, costumbres y creencias, aprovechándose de la tolerancia y resignación de un pueblo demasiado fiel a determinados augurios y presagios.

Ahora ya era tarde para rectificar y solamente existía una alternativa para ellos: la salvación de los supervivientes, si ello era posible. Cortés confiaba en ello, y soñaba ya con el momento en que pudiera solicitar de la isla La Española refuerzos militares, armas, pertrechos, barcos y gente para devolver el golpe a los aztecas y tratar de conquistar Tenochtitlán costara lo que costara.

Pero la tarea no era nada fácil, puesto que aún quedaba lo peor, que era sobrevivir, lisa y llanamente, y ni aun eso parecía tarea sencilla, visto el despliegue de fuerzas que hacían los aztecas para lograr su exterminio total.

El propio Cortés llevaba diversas heridas que dificultaban su marcha, pero se mantenía firme en su caballo, seguro de que, si perdían la moral, también perderían la vida, y era tarea imperativa no dejarse vencer por el abatimiento. La ayuda de las tribus amigas era un consuelo, pero en otras ocasiones eran enemigos los que hallaban a su paso, pueblos ahora amigos de los hombres de Cuetravicín, que se apresuraba a hostigarlos en la medida de sus fuerzas, poniendo más dificultades a la retirada.

Pero ésta se iba llevando a cabo, pese a todos los pesares, y venciendo obstáculos cada vez más numerosos. La proximidad de una tierra amiga y segura estaba cerca, pero aún quedaba lo peor en el camino, aunque Cortés no pudiera sospecharlo.

Y ese algo todavía peor era la trampa decisiva tendida por Cuetravicín y su ejército a los españoles. Ello iba a suceder en la llanura de Apam, cercana a la ciudad de Otumba.

Aquél era el lugar elegido para dar el golpe decisivo a Cortés y sus exhaustas fuerzas, y donde los aztecas estaban seguros de exterminar definitivamente al adversario, sin dejar un solo superviviente.

En realidad, contaban con todo a su favor. Una verdadera multitud de guerreros esperaba a los españoles, y lo cierto es que cualquiera que hubiera visto aquella enorme concentración de tropas a la espera de un simple puñado de gente agotada y maltrecha, no hubiera dado lo más mínimo por los españoles. Resultaba en verdad imposible imaginar que nadie pudiera salir con vida de aquella emboscada, ni tan siquiera fuerzas infinitamente superiores en número y recursos a las de los conquistadores en retirada.

Sin embargo, en la llanura de Apam iba a tener lugar otro hecho sorprendente, que habla del ingenio pero también de la buena fortuna de Cortés aun en las lides más adversas, y que iba a dar un giro total a la suerte de una batalla que parecía previamente decidida sin la menor duda posible.

Iba a ser el 7 de julio de 1520 cuando la batalla decisiva tendría lugar en las proximidades de Otumba. Una fecha histórica para ambos bandos por motivos bien distintos. Un día que iba a dejar su huella para el futuro y marcar el destino de la conquista, pero también, inexorablemente, el del propio pueblo azteca.

De aquella batalla final surgirían hechos y circunstancias que iban a cambiar sustancialmente el signo de muchas cosas y de muchas personas. Pudo haber sido, efectivamente, la tumba de Cortés y de sus pocos efectivos supervivientes. Pudo haber sido el final de la aventura de la conquista.

Y pudo haber sido, así mismo, el reforzamiento definitivo del Imperio azteca, su resurgir, tal vez el esplendor soñado que les hacía pensar en ser el pueblo elegido.

Pero la fatalidad para ellos, la fortuna para los españoles, iba a trastocar todo lo previsible, para alterarlo todo de un solo golpe.

Precisamente en el momento elegido para dar el golpe de gracia a sus invasores y alzarra como los vencedores de aquella guerra, con todas sus consecuencias incluso para los pueblos rebeldes a su poderío, el Imperio azteca vino a fallar por un simple acontecer en la batalla, por un incidente que a otros guerreros les hubiera dejado indiferente, pero que para ellos supuso el golpe de gracia, no como lo habían imaginado, para aplastar a su enemigo, sino para marcar su inesperada derrota ante éste.

Capítulo II

— Otumba —

CUANDO Cortés y su gente quisieron darse cuenta exacta de lo que sucedía, era demasiado tarde para retroceder. Estaban totalmente rodeados y no les era posible hacer otra cosa que luchar contra aquella ingente masa de guerreros aztecas, dispuestos a su exterminio total.

Comprendiendo que aquél era su final y que no había esperanza alguna de sobrevivir, decidieron vender cara su derrota y perder la vida de la única forma digna que ellos conocían: luchando hasta morir, batallando hasta el último esfuerzo. Ni cabía otra salida, ni era posible rendirse o pedir cuartel. Aquél era un duelo a muerte, con fuerzas muy desiguales, pero en el que no había otra alternativa que matar y morir.

Los conquistadores se emplearon como era inevitable en aquel trance: a la desesperada, convencidos de su inferioridad, pero sin arredrarse por ello. Los aztecas se lanzaron a la lucha en oleadas, seguros de su victoria.

Fue una batalla memorable, que se prolongó mucho más de lo previsto, a causa de la enorme resistencia de aquel puñado de acosados españoles. Cortés desplegó toda su estrategia en la forma de plantear esa resistencia heroica, aunque en el fondo tal vez sin demasiadas esperanzas. Pero era demasiado orgulloso y altivo para reconocer previamente una derrota, y puso en la batalla toda esa arrogancia, decidido a que el enemigo pagara al más alto precio posible su inevitable victoria.

Aun así, su ingenio y osadía iban a salvarle a él y a los suyos en el momento menos esperado. Siguiendo el curso de la batalla, cada vez más angustiosa para ellos, ya que, pese a las enormes pérdidas que causaban en el enemigo, éste continuaba centuplicándoles en número y en poder combativo, Cortés advirtió repetidas veces el airoso ondear del estandarte azteca, dirigiendo y arengando con su simbolismo a las tropas adversarias.

A través de su relación con las gentes de Tenochtitlán, y especialmente en su charlas y entrevistas con el difunto emperador Moctezuma, sabía bien Cortés de la importancia decisiva que, en toda batalla, tenía para los aztecas su estandarte, portado siempre aquél en la espalda de uno de sus oficiales, y construido en madera y tela. Era la fuerza simbólica que les empujaba a la lucha y les marcaba el triunfo final. Sabía Cortés que la pérdida de aquella bandera era fatídica para las fuerzas aztecas.

Cierto que no resultaba tarea sencilla abatirla ni apoderarse de ella, pero esa maniobra podía ser más asequible, en todo caso, que vencer a un enemigo implacable y cuantioso como aquél. Dio orden a sus hombres de intentar apoderarse del estandarte o de abatir a su portador, cosa que intentaron algunos de sus oficiales de más confianza, moviéndose con la mayor habilidad posible en medio del hormiguero mexica en que se debatían.

Le tocó al capitán Juan de Salamanca el honor de llegar cerca del jefe azteca portador de dicho estandarte. Enfrentados ambos en el ardor de la lucha, el español tuvo la serenidad de manejar su lanza con certeza y lanzarse sobre el adversario.

Logró alcanzarle, atravesándole con la lanza, y mientras el jefe caía, Juan de Salamanca le arrancó el estandarte y se apoderó de él, enarbolándolo victorioso al reunirse con los acosados españoles.

Aquello fue como un mazazo brutal e inesperado para las nutridas filas de guerreros nativos. Al ver su estandarte en poder del enemigo, cundió entre ellos el desaliento. Dejaron de combatir, mirándose entre sí, incapaces de reaccionar.

Cortés, resueltamente, decidió aprovechar al máximo la ocasión y arengó a sus escasas tropas a luchar, acosando ellos ahora al enemigo. El estandarte seguía en manos españolas, agitándose como una señal de fracaso y de burla para los aztecas, que no sabían reaccionar en modo alguno.

Asombrosamente, toda aquella masa de soldados que tenían la victoria final a su alcance era dueña del desorden y la desmoralización más profundos, y ante el empuje desesperado de los ya casi vencidos conquistadores, empezaron a replegarse o a huir en desbandada, siendo cazados y exterminados fácilmente por las armas españolas.

Resulta difícil entender la situación a menos que uno se percate exactamente de la importancia que para los aztecas tenían sus símbolos, y de la superstición que éstos provocaban en ellos, ya que no parece creíble que la simple pérdida de un estandarte provoque una derrota en un ejército tan formidable y superior como el suyo, justo en el momento en que la victoria se decanta a su favor.

Pero eso estaba sucediendo, en parte porque la suerte parecía una fiel aliada de Cortés, en parte porque la astucia de éste era una carta muy a tener en cuenta en el momento de enfrentarse a él. La suya era, fuera como fuera, una victoria histórica. Y la derrota, para los aztecas, significaba el principio del fin de aquel imperio.

La batalla fue tan heroica por parte de los pocos españoles que la libraron, que incluso algunas mujeres que formaban parte de la expedición española, fueron luchadoras esforzadas y valerosísimas en aquella desesperada lucha. Una de ellas, la andaluza María Estrada, armada como un soldado cualquiera, ya se había distinguido por su valentía y decisión en las horas amargas de la «Noche Triste». Ahora, en Otumba, fue otra de las distinguidas.

Se cuenta que los aztecas, al verla luchar en primera línea y comprobar que era una mujer, llegaron a confundirla con la Virgen María, a la que ellos llamaban «diosa blanca», presente por un tiempo en sus templos, cuando Cortés decidió derribar sus ídolos y poner allí a las imágenes cristianas, y ello aseguran que pudo contribuir, en parte al menos, al desconcierto de sus guerreros, antes de que la pérdida de su bandera de guerra les desmoralizara por completo.

El campo de batalla quedó sembrado de cadáveres aztecas, junto con algunos españoles, y las tropas puestas en fuga fueron incluso perseguidas y rematadas por los envalentonados conquistadores, incrementado lo vergonzoso de la derrota.

Ya a salvo de enemigos y con el campo libre ante ellos, los pocos supervivientes españoles lograron llegar a la región de Tlaxcala, siempre fiel aliada de ellos y enemiga irreconciliable de Tenochtitlán y de los aztecas, refugiándose en ella a la espera de mejores tiempos.

La derrota azteca fue decisiva en muchos otros aspectos. Los pueblos antes sometidos dócilmente a su poder se levantaron, dejando de obedecerles, con lo que los dominios de Tenochtitlán se redujeron considerablemente y los aztecas empezaron a verse aislados dentro de su gran ciudad, rodeados de enemigos y de pueblos rebeldes que ya no aceptan sus imposiciones.

El *ciuacoatl*, o jefe azteca portador del estandarte, abatido por la osadía de Juan de Salamanca, había marcado con su muerte a todo su pueblo, dejándolo en situación muy difícil, no ya sólo ante el enemigo extranjero, sino también ante sus propios vecinos, incapaces ya de respetar el poderío azteca.

La batalla de Otumba tuvo lugar, como hemos dicho, el 7 de julio, y seis días después, ya en Tlaxcala, Hernán Cortés iniciaba sus preparativos para iniciar la conquista de Tenochtitlán, incapaz de olvidar lo que él consideraba «traición» azteca, al sublevarse la ciudad contra sus hombres.

En forma de planteamiento previo para sus planes de futuro, el español efectuó una campaña contra la provincia de Tepeaca, con la finalidad de disuadir a los mexicas de cualquier posible intención de hostigamiento contra él y su gente, y procedió a fundar una nueva población, a la que bautizó como Segura de la Frontera, y que iba a convertir en la base para el lanzamiento de su planeada gran ofensiva.

Solicitó refuerzos urgentes a La Española, que le fueron enviados con la mayor rapidez posible. Por su parte, en Tlaxcala empezó la construcción de navíos para su campaña. Eligió la ciudad de Texcoco, capital ribereña del lago del mismo nombre, como base naval para la puesta a flote de todos los bergantines que estaba mandando construir, y cuyo objetivo era poder cercar totalmente Tenochtitlán por vía marítima.

Hasta trece bergantines fueron construidos con toda premura en Tlaxcala, los cuales iban a tener que ser transportados ¡por tierra! hasta alcanzar las aguas del lago sobre el que se asentaba Tenochtitlán, incluso a través de regiones montañosas. Resulta asombroso el hecho de que un ejército invasor portara consigo navíos a través de tierra firme, y ésa es una de las decisivas estrategias de Cortés en su capacidad militar, que revela tanto su ingenio como su obstinación en determinadas resoluciones.

Con aquellos trece bergantines, quinientos cincuenta soldados y cuarenta caballos, con sus respectivos jinetes, iniciaba Cortés su guerra de conquista. Ochenta eran ballesteros y arcabuceros, y portaba así mismo ocho o nueve cañones pequeños.

Era el 26 de diciembre de 1520 cuando Cortés reunía toda esa fuerza militar, arengándoles con energía, exigiéndoles todo su esfuerzo en la lucha, pidiéndoles que estuvieran contentos, ya que luchaban por una causa justa, fundamentalmente para propagar la fe en Dios entre aquella gente «bárbara» y para servir a su rey. Vemos en esta arenga, nuevamente, la intolerancia religiosa y el fanatismo de que siempre hicieron gala los españoles en sus conquistas, lo cual les llevaba a menospreciar las creencias ajenas, en beneficio de las propias, que ellos consideraban inamovibles.

Parece mentira que, después de haber vivido un fracaso tan grande, iniciado por su obstinación en destruir la fe de los aztecas en sus dioses y suplirla por sus propias creencias, los conquistadores continuaran aferrados a los principios religiosos como base de sus conquistas y afanes, sin importarles herir sensibilidades y provocar rechazos.

Ello hace evidente por desgracia, una vez más, que muchas guerras de las que han sido y serán tienen más bien motivaciones de fe y de religión tras de sí que otras cualesquiera. El mundo, en ese sentido, no parece haber evolucionado demasiado.

Por si los españoles constituyeran una fuerza demasiado reducida para enfrentarse a los aztecas de Tenochtitlán, se reclutó una cuantiosa cantidad de tropa tlaxcateca, en forma de ejército auxiliar, bastante poderoso por cierto. Sabiendo de la agresividad de este pueblo y de su tradicional odio hacia los aztecas, no era mala la estrategia de Cortés en ese punto. Ocho mil portadores indígenas llevarían a hombros los bergantines construidos, hasta ser botados en la laguna.

Cuando alcanzaran Texcoco, lo hallarían totalmente desierto, ya que sus habitantes lo habían abandonado, siguiendo a su rey, Coanochtzin, para refugiarse todos tras los muros de la ciudad de Tenochtitlán. La botadura de los navíos no ofreció, pues, dificultad ni resistencia alguna a los conquistadores.

Para entonces, finales de 1520, surgiría, como un aliado más de los españoles —y no precisamente un aliado demasiado débil, la verdad—, algo semejante al llamado «general invierno» ruso. Se trata de algo que hemos comentado antes, y que tenía evidentemente su origen en la importación de ciertos virus y enfermedades transmitidas por los extranjeros a su llegada al Nuevo Mundo.

Se puede decir, sin temor a exageración, que la corona española le debe a este «general» gran parte de sus logros y conquistas en aquellas tierras. Hay quien asegura que la caída de imperios y civilizaciones indígenas no son ajenas en absoluto a una hecatombe epidemiológica. El «general Viruela» es una buena prueba de ello, y sería quien, para desgracia de los aztecas, jugara su baza decisiva en favor de los invasores.

El contacto entre españoles e indígenas provocó, sin duda, la epidemia de viruelas, realmente terrible, que asoló aquellas regiones, causando más muertes que todas las guerras juntas. Sin medios clínicos para combatirla, aquella epidemia provocó estragos tremendos en la población.

Una de sus víctimas sería el hermano de Moctezuma, Cuitlahuac, que fue el *tlacatecuhtli*, o emperador, de Tenochtitlán encargado de sucederle en el trono, y cuyo reinado fue sumamente breve, ya que sólo permaneció como emperador azteca durante ochenta días, antes de morir de viruela.

Esto sucedía a finales de diciembre de 1520, y el trono de Tenochtitlán quedaba vacante de nuevo, por segunda vez, tras la muerte de Moctezuma. Apresuradamente, fue nombrado un nuevo monarca, esta vez Cuauhtémoc, sobrino de Moctezuma. El nombre de Cuauhtémoc significaba «el águila que se desploma», y su advenimiento al trono tuvo lugar durante los llamados «días de *nemontemi* —nefastos según los aztecas, porque eran los que quedaban vacíos y huérfanos de dioses tutelares—, lo que no confería a aquel nuevo monarca demasiados buenos augurios.

Su reinado iba a ser, en efecto, tan breve como accidentado, y tendría un trágico final que sería, a la vez, el propio fin del Imperio azteca, ya que precisamente Cuauhtémoc iba a ser el último rey de los aztecas.

Se casó, apenas nombrado rey, con una hija de su propio tío Moctezuma, una joven llamada Tecuichpoch. Le tocaba enfrentarse a una difícil situación, con el imperio desmembrado, con tribus y pueblos enfrentados, con mucha desobediencia en sus provincias y con la desmoralización general que la todavía reciente derrota a manos de los españoles en Otumba producía en su pueblo. No se puede decir, por tanto, que su reinado prometiera mucha felicidad a todos ellos, y menos con la amenaza española pendiendo sobre ellos, que ignoraban la magnitud de lo que se les aproximaba por tierra y agua.

Tampoco Cortés y su gente fueron inmunes a la viruela que asolaba las regiones mexicas. El más fuerte y leal aliado de Cortés, el jefe tlaxcalteca Maxixcatzin, caía víctima de la mortal epidemia, y el extremeño se veía obligado a sustituirle rápidamente, nombrando para ello a su segundo hijo, ya que el mayor había muerto en una batalla, y a quien bautizó cristianamente con el nombre de Lorenzo, aunque por respeto a la condición de su padre, se le conservó como apellido el de *Magiscazín*, una especie de latinización del original Maxixcatzin. Claro que ese hijo tenía por entonces solamente doce o trece años, y le dejó en sus tierras como jefe militar, puesto que en palabras del propio Cortés se menciona el hecho así:

«... y bien sabían que por ser tan amigo mío me pesaría mucho (la muerte de Maxixcatzin), pero allí quedaba su hijo de doce o trece años, y que a aquél pertenecía el señorío de su padre, que me rogaban que a él como a heredero se lo diese, y yo en nombre de vuestra majestad lo hice así, y todos ellos quedaron muy contentos.»

Lo cierto es que la viruela no fue la única epidemia sufrida en tierras americanas, ya que también se transportaron allí el sarampión, la gripe y las paperas, mientras los europeos recibían a cambio la sífilis.

Las enfermedades microbianas iba a ser, en el caso concreto de México y de Cortés, las grandes aliadas de los conquistadores. Al carecer de defensas contra ellas, los pueblos de la zona sucumbían fácilmente a sus estragos, y la infección masiva de aquella enfermedad era inevitable. Una simple tos podía ser mortal para un azteca, fácilmente contagiado sin remedio posible.

Vista la cosa en cifras, uno se da cuenta de la magnitud de la tragedia, ya que si en 1518, antes de la llegada de Cortés a México, la población rondaba los 18 millones de habitantes, cuarenta años más tarde, en 1560, sólo quedaban poco más de dos millones y medio de habitantes. Y sólo una pequeña parte de esas muertes se puede atribuir a las guerras, ya que la mayoría de defunciones se produjo a causa de las epidemias, especialmente de las infecciones.

Las más mortíferas de las enfermedades fueron, por supuesto, la viruela y el sarampión. Aunque también provocaron numerosas víctimas otras nuevas dolencias para ellos desconocidas, como pudieron ser la peste, la tos ferina o la gripe.

En abril de 1521 comenzó formalmente el sitio de Tenochtitlán por parte de las fuerzas españoles, ya muerto el sucesor de Moctezuma, Cuitlahuac, víctima como hemos dicho de la mortífera viruela que asolaba el país.

Ahora gobernaba el joven y aguerrido Cuauhtémoc, sobrino del gran Moctezuma II, cuyo valor era notorio entre el pueblo azteca y del que se esperaban las mejores cosas en su enfrentamiento con los españoles. Y, ciertamente, en un principio no defraudó a sus súbditos, tanto por el planteamiento de la batalla de defensa de Tenochtitlán, como por los errores del propio Cortés que, demasiado seguro de su actual superioridad sobre los aztecas, no supo ver inicialmente las dificultades de aquella ofensiva.

Eso significó una ventaja temporal para los defensores de la ciudad, ya que, aunque en un primer momento dio la impresión de que el ataque frontal contra las defensas nativas tenía un éxito completo, y las fuerzas invasoras lograban alcanzar el centro de la ciudad, tras partir de las distintas calzadas de la misma, lo cierto es que, una vez conseguido este triunfo inicial, que parecía presagio de una fácil campaña, las cosas tomaron un derrotero muy distinto.

El ejército español estaba dividido en cuatro grupos. Tres de ellos eran los encargados de atacar las calzadas que llevaban a la capital, mientras el cuarto permanecía atrás, como una fuerza de maniobra, bajo el mando directo de Cortés.

Al mismo tiempo, la flotilla naval, compuesta por los bergantines fabricados en Tlaxcala y trasladados a través de todo el país por tierra firme, haría su propia labor en la laguna y los canales urbanos, labor que al final resultaría decisiva para el triunfo de los invasores.

Pero en principio la estrategia de Cortés no funcionó, y en cambio sí tuvo éxito la diseñada por el actual emperador azteca, Cuauhtémoc, cuyas tropas lograron rechazar a los invasores, causándoles grandes pérdidas y obligándoles a retroceder fuera de la ciudad.

Fueron hechos gran número de prisioneros, y a todos ellos se les arrancó el corazón en vida, en un acto de crueldad que habla bien a las claras de la sed de venganza de los aztecas contra sus actuales enemigos y otrora visitantes amistosos y bien tratados.

El 28 de abril había comenzado el sitio de Tenochtitlán, y en un período de dos meses casi las cosas no pintaron demasiado bien para los conquistadores extranjeros, cuyo primer intento de invadir la ciudad se había visto frustrado, tanto por la habilidad estratégica del enemigo como por el valor derrochado por los aztecas en la defensa de su baluarte.

Era ya mediados de junio cuando Cortés, defraudado por los resultados de sus ataques, y escarmentado ante lo erróneo de su arrogante ataque, decidió cambiar de estrategia. Era necesario reducir a sus enemigos mediante un esfuerzo mucho más paciente y seguro, buscar la victoria con lentitud y sin apresuramientos suicidas.

Por ello, su primera determinación fue hacer cortar el acueducto que proporcionaba agua dulce a toda la ciudad de Tenochtitlán, esperando así que la sed, unida al hambre que produciría el asedio, iría mermando la feroz resistencia de los nativos.

Los soldados españoles recibieron órdenes de arrasarlo todo a su paso para sí reducir la resistencia enemiga, de modo que, en cada avance, cada casa tomada era incendiada y destruida hasta sus cimientos, de tal forma que cada edificio, cada palacio, cada templo fuera arrasado al paso de los españoles.

Sin embargo, el valor y resistencia de los aztecas eran realmente heroicos, y la lucha se prolongaba semanas y semanas, pese a los estragos no sólo del hambre y la sed, sino a las epidemias y al hedor de los cadáveres de ambos bandos, amontonados en calles y plazas, en medio de ruinas, restos calcinados y terribles huellas de la encarnizada batalla que sostenían invasores e invadidos.

Los combatientes rivalizaban en valor y heroísmo, en resistencia y en esfuerzo, luchando hasta la extenuación, incluso malheridos, para ser rematados sin piedad llegado el momento. Si se ha hablado de la crueldad azteca al extraer en vida el corazón a sus prisioneros, justo es recordar también que los españoles no resultaron menos crueles a la hora de rematar a su enemigo, fuera cual fuera su estado y condición, e incluso sin importar demasiado si se mataba a un hombre, a una mujer o a un niño.

Aquélla fue una guerra feroz, despiadada, que no daba ni pedía cuartel, y en la que la caballerosidad o los impulsos generosos estaban de más en unos y en otros. Pocas veces se ha manifestado tan claramente el odio en su estado más puro entre seres humanos obligados a combatir entre sí.

Capítulo III

— Conquista sangrienta —

DE la atroz batalla de Tenochtitlán, tan decisiva para la suerte final del pueblo azteca, tenemos un relato minucioso, como no podía ser por menos, del propio Cortés, en otra de sus cartas al emperador, y en la que detalla los acontecimientos como un auténtico diario de guerra.

Antes de referirnos a esa crónica viva y directa de la contienda, merece la pena recordar que el 1 de junio de 1521 fue conquistado el fuerte de Xoloc, que el 10 de junio tuvo lugar el asalto al Templo Mayor, el 16 la destrucción del palacio de Axayacatl y el 30 el ataque al mercado y barrio de Tlatelolco.

Algo que a veces no se ha mencionado lo suficiente es el hecho singular de que, durante uno de los sanguinarios ataques españoles a las posiciones aztecas, el propio Hernán Cortés llegó a ser hecho prisionero por sus enemigos. No se sabe lo que hubiera podido llegar a ocurrirle, si, jugándose la vida en el empeño —y perdiéndola, por cierto—, su oficial Cristóbal de Olea no le hubiera rescatado.

Pero la resistencia azteca continuaba, pese a los ataques españoles, y la situación se iba prolongando más y más, para desesperación del extremeño que, ya a salvo, gracias al sacrificio de su compañero, pagado con la vida, veía cómo su campaña de destrucción total no lograba doblegar los ánimos ni la resistencia del pueblo mexica.

161

La lucha iniciada en abril se prolongaba más y más, y ni siquiera la nueva estrategia iniciada en junio hacía otra cosa que permitirles ir ganando terreno, a costa de tremendas batallas, pérdidas cuantiosas y actos heroicos por ambas partes.

Cortés, en un principio, se había quedado, como dijimos antes, con una fuerza de reserva, compuesta por trescientos hombres y los trece bergantines que componían su fuerza naval. Él lo relata así:

«... dije yo cómo me quedaba en Texcoco con trescientos hombres y los trece bergantines, porque en sabiendo que las guarniciones estaban en los lugares donde habían de asentar sus reales, yo me embarcase y diese una vista a la ciudad e hiciese algún daño en las canoas. Y aunque yo deseaba mucho irme por la tierra, por dar órdenes en los reales, como los capitanes eran personas de quien se podía muy bien fiar lo que tenían entre manos, y lo de los bergantines importaba mucha importancia, y se requerían gran concierto y cuidado, determiné meterme en ellos, porque la más aventura y riesgo era el que se esperaba por el agua, aunque por las personas principales de mi compañía me fue requerido en forma que me fuese con las guarniciones, porque ellos pensaban que ellas llevaban lo más peligroso.

Otro día, después de la fiesta del Corpus-Cristi, al cuarto del alba hice salir a Gonzalo de Sandoval, alguacil mayor, con su gente, y que se fuese derecho a la ciudad de Iztapalapan, que estaba de allí a seis leguas pequeñas, y a poco más de mediodía llegaron a ella y comenzaron a quemarla y a pelear con la gente de ella; y como vieron el gran poder que el alguacil mayor llevaba, porque iban con él más de treinta y cinco o cuarenta mil hombres nuestros amigos, acogiéronse al agua en sus canoas y el alguacil mayor, con toda la gente que llevaba, se aposentó en aquella ciudad y estuvo en ella aquel día, esperando lo que yo le había de mandar y me sucedía.»

Posteriormente, el conquistador narra sus propias experiencias bélicas a bordo de los bergantines dispuestos en torno a Tenochtitlán, en la gran laguna, asaltando posiciones aztecas, a cuyos defensores extermina, aunque explica claramente que respetó las vidas de mujeres y niños en todo momento, así como el hecho de que veinticinco de sus hombres fueron heridos en una de las maniobras navales para dominar la cercada capital.

De la batalla en el agua no se sabe gran cosa, salvo lo que el propio Cortés narra, y consideramos por ello interesante reproducir aquí sus descripciones de aquella campaña naval desplegada por Cortés mientras sus tropas de a pie batallaban ferozmente en las calles y edificios de Tenochtitlán.

Así, en determinado momento, podemos leer:

«Con los bergantines fuimos bien tres leguas, dando caza a las canoas; las que se nos escaparon allegáronse entre las casas de la ciudad de Cuyoacán, y como era ya después de vísperas, mandé recoger los bergantines y llegamos con ellos a la calzada, y allí determiné de saltar a tierra con treinta hombres por ganarles unas dos torres de sus ídolos, pequeñas, que estaban cercadas con su cerca baja de cal y canto.

Y como saltamos, allí pelearon muy reciamente con nosotros por defendérnoslas; y al fin, con harto peligro y trabajo, se las ganamos... Y porque lo que restaba de la calzada de allí a la ciudad que era media legua, estaba todo lleno de los enemigos, y de una parte y otra de la calzada, que era agua, todo lleno de canoas con gente de guerra, hice asestar un tiro de aquellos, y tiró por la calzada adelante e hizo mucho daño en los enemigos. Y por descuido del artillero, en aquel mismo punto que tiró se nos quemó la pólvora que allí teníamos, aunque era poca. Y luego proveí esa noche un bergantín que fuese a Iztapalapan, donde estaba el alguacil mayor, que sería a dos leguas de allí, y trajese toda la pólvora que había. Y aunque al principio mi intención era, luego que entrase con los bergantines, irme a Cuyoacán y dejar proveído cómo anduviesen a mucho recaudo, haciendo todo el mayor daño que pudiesen; como aquel día salté allí en la calzada y les gané las dos torres, determiné asentar allí el real y que los bergantines se estuviesen allí junto a las torres, y que la mitad de la gente de Cuyoacán y otros cincuenta peones de los del alguacil mayor se viniesen allí otro día. Y proveído esto, aquella noche estuvimos a mucho recaudo, porque estábamos en gran peligro, y toda la gente de la ciudad acudía allí por la calzada a dar sobre nuestro real y cierto nos pusieron en gran temor y rebato, en especial porque era de noche, y nunca ellos a tal tiempo suelen acometer ni se ha visto que de noche hayan peleado, salvo con mucha sobra de victoria. Y como nosotros estábamos muy apercibidos, comenzamos a pelear con ellos, y desde los bergantines, porque cada uno traía un tiro pequeño de campo, comenzaron a soltarlos, y los ballesteros y escopeteros a hacer lo mismo, y de esta manera no osaron llegar más adelante, ni llegaron tanto que no hiciesen ningún daño; y así, nos dejaron lo que quedó de la noche, sin acometernos más.»

Como se puede desprender fácilmente del relato, el propio Cortés admite lo duro de la batalla y el coraje con el que los aztecas se batían en todo terreno, ya fuese en tierra o en las aguas de la laguna, pese a su manifiesta inferioridad armamentística, que ellos suplían con mayor número de guerreros y un valor a toda prueba.

Así, en otro pasaje de sus narraciones sobre la feroz batalla por la conquista de Tenochtitlán, sigue relatando el español:

«Conocieron que yo entraba ya por la laguna con los bergantines, y de improviso juntáronse tan gran flota de canoas para venirnos a acometer, y a tentar qué cosa eran los bergantines, y a lo que pudimos juzgar pasaban de quinientas canoas. Y como yo vi que traían su derrota derecha a nosotros, yo y la gente que habíamos saltado a tierra nos embarcamos a mucha prisa, y mandé a los capitanes de los bergantines que en ninguna manera se moviesen, porque los de las canoas se determinasen a acometernos y creyesen que nosotros, de temor, no osábamos salir a ellos; y así comenzaron con mucho ímpetu de encaminar su flota hacia nosotros.

Pero a la obra de dos tiros de ballesta, reparáronse y estuvieron quedos; y como yo deseaba mucho que el primer reencuentro que con ellos tuviésemos fuese de mucha victoria y se hiciese de manera que ellos cobrasen mucho temor de los bergantines, porque la llave de toda la guerra estaba en ellos, y donde ellos podían recibir más daño, y nosotros también, era por el agua, plugo a Nuestro Señor que, estándonos mirando los unos a los otros, vino un viento de tierra muy favorable para embestir contra ellos, y luego mandé a los capitanes que rompiesen por la flota de las canoas y siguiesen tras ellos hasta encerrarlos en la ciudad de Tenochtitlán.

Y como el viento era muy bueno, y quebramos infinitas canoas y matamos y ahogamos a muchos de los enemigos, que era la cosa del mundo más para ver. Y en este alcance los seguimos bien tres leguas grandes, hasta encerrarlos en las casas de la ciudad; y así plugo a Nuestro Señor de darnos mayor y mejor victoria que nosotros habíamos pedido y deseado.

Los de la guarnición de Cuyoacán, que podían ver cómo veníamos con los bergantines, como vieron todas las trece velas por el agua, y que traíamos tan buen tiempo y que desbaratábamos todas las canoas de los enemigos, según después me certificaron, fué la cosa del mundo que más placer hubieron y que más ellos deseaban; porque, como he dicho, tenían muy gran deseo de mi venida, y con mucha razón, porque estaba una guarnición entre tanta multitud de enemigos, que milagrosamente los animaba Nuestro Señor y enflaquecía los ánimos de los enemigos, para que no se determinasen a salir y acometerlos a su real, lo cual, si fuera, no pudiera ser menos de recibir los españoles mucho daño, aunque siempre estaban muy apercibidos y determinados de morir o ser vencedores, como aquellos que se hallaban apartados de toda manera de socorro, salvo de aquel que de Dios esperaban.»

Sería muy interesante, para narrar la historia, contar con versiones de ambas partes sobre aquella contienda, pero por desgracia no hay constancia escrita por parte de los aztecas, dado que carecían de caracteres escritos y ninguna narración suya ha podido llegar a nosotros, describiendo su propio punto de vista sobre los acontecimientos de la guerra. Por ello solamente contamos con la versión de los españoles, partidista sin duda, pero que aun así deja bien a las claras que la conquista no era tan fácil ni mucho menos, y que el papel que jugaron aquellos bergantines en la lucha fue realmente decisivo, al suponer una fuerza muy superior a la de las canoas indígenas, por muchas que ellas fueran. Aquí queda la prueba del ingenio estratégico de Cortés cuando hizo construir aquellos navíos, presintiendo cuán necesarios iban a ser para rodear Tenochtitlán por vía marítima.

Aun así, como también se desprende de ese relato, los defensores de la ciudad no se arredraban ante nada y eran capaces de plantar cara a cualquier ingenio bélico que les enfrentaran, con una decisión y un valor que producen verdadera admiración y sorpresa.

Es obvio que la intención de los españoles con aquella táctica era la de dejar aislada totalmente la gran ciudad, a través de una auténtica operación anfibia. Para ello, su división de fuerzas, en concreto, era la siguiente: una columna situada en Tacuba, que estaba al mando de Pedro de Alvarado; una segunda, al mando de su maestro de campo, Cristóbal de Olid, tenía la calzada de Coyoacan como eje de ataque; la tercera, que debía penetrar por la calzada de Iztapalapa, iba comandada por Sandoval, mientras el propio Cortés se ocupaba del mando de los trece bergantines.

La calzada de Tepeyac la dejó libre para facilitar al enemigo la evacuación de la ciudad, ante la presión de los sitiadores. La primera fase de la batalla sería el ataque combinado de Sandoval y Cortés para cortar el acueducto de Chapultepec, ya que uno de los objetivos clave de la maniobra era impedir el avituallamiento de los sitiados, para lograr así que el sitio fuera lo más breve posible.

Aun así, las cosas iban a resultar mucho más largas y complicadas de lo que el conquistador imaginaba, porque doblegar a los mexicas iba a ser todo menos fácil, y el sitio y las diversas batallas que allí tuvieran lugar iban a dilatarse en el tiempo, al extremo que, desde la primera conquista firme de los atacantes, el fuerte de Xaloc, el 1 de junio, iban a transcurrir casi dos meses y medio, hasta que el 13 de agosto culminara con éxito la durísima y ardua conquista de Tenochtitlán, con una última y desesperada batalla que tuvo por escenario un solo barrio de la ciudad, donde se refugiaban los desesperados aztecas, que como último y supremo recurso tenían que ocultarse incluso en sus propias canoas.

Fue en una de éstas, concretamente, donde sería apresado el propio *huey tatloani* de Tenochtitlán, Cuauhtémoc, cuyo captor fue el maestre español García Holguín. Con ese lance, evidentemente, terminaba la lucha y se rendían los últimos defensores heroicos de aquella gran ciudad, convertida ahora en ruinas humeantes y pavesas, tras la destrucción llevada a cabo por los invasores en su lucha casa por casa.

Mucha fue la sangre que corrió en aquella contienda, y no toda azteca, aunque el número de éstos y su estrategia simple de atacar siempre de frente y en oleadas fuera causa de una mortandad tremenda en sus filas. Pero también los españoles pagaron su tributo de víctimas en aquel enfrentamiento feroz, y así lo reconoció el propio Cortés ante su rey y señor.

La conquista se había alcanzado, como deseaban los españoles, pero a un alto precio de vidas humanas. La batalla por Tenochtitlán duró setenta y cinco días. Y de cómo quedaría todo tras la contienda, se cuenta en una elegía azteca, escrita por esas mismas fechas, que nos ofrece una gráfica, clara y estremecedora idea de lo que debía ser aquel dantesco espectáculo tras la derrota final:

> *«En los caminos yacen dardos rotos,*
> *los cabellos están esparcidos.*
> *Destechadas están las casas,*
> *enrojecidos tienen sus muros.*
> *Gusanos pululan por calles y plazas,*
> *y están las paredes manchadas de sesos.»*

Nada puede resultar más expresivo, en su tristeza y dolor, que este texto escalofriante, uno de los escasos testimonios de los vencidos con que podemos contar actualmente, ya que, como hemos dicho, apenas si existen escritos o documentos aztecas, salvo sus inscripciones y dibujos alfabéticos, muchos de los cuales, por añadidura, debieron perderse en su momento a causa de los destrozos causados por la conquista española, que todo lo arrasó, como hemos visto.

Sea como sea, Tenochtitlán se convirtió en una plaza del imperio español, dependiente ya del rey Carlos V y bajo el mando de Hernán Cortés, tal como él deseaba. Las riquezas y esplendor de aquella corte azteca eran sin duda la causa más directa del interés español por apoderarse de ella, cosa que tal vez no hubiera sucedido, o al menos hubiera tardado mucho tiempo en acontecer, si Moctezuma, en su momento, hubiera obrado de otra manera, tal como se esperaba de él y nunca actuó.

Pero eso ya no tenía remedio. El imperio azteca era ya un dominio más de los conquistadores, y sus costumbres, creencias y modo de vida iban a cambiar sustancialmente, hasta su ocaso definitivo, vencidos por un lejano enemigo pero también por sus propias debilidades.

Capítulo IV

— Motivos de la derrota —

S I se buscan motivos concretos al hundimiento del Imperio azteca y a su derrota final ante los invasores, se encuentran muchos y muy variados, empezando por el hecho crucial de que se permitiera a los extranjeros entrar libremente y como amigos en su primera visita a Tenochtitlán, en vez de acogerles con hostilidad y darse cuenta de sus verdaderas intenciones.

Por tanto, tal vez la primera consecuencia fuera precisamente ésa: la confianza excesiva de los aztecas en la buena fe de sus visitantes, así como la posterior debilidad en ceder en todo ante ellos y dejara manejar a su antojo, hasta el punto, incluso, de permitir la sustitución de sus dioses por las imágenes cristianas, e incluso el encarcelamiento de sus altos dignatarios, de sus nobles y hasta de su propio rey o emperador, Moctezuma II.

Ahí está la raíz de todos los males del pueblo azteca, en su lucha inútil contra la fatalidad y el infortunio. Fue un genocidio que ellos mismos facilitaron con su pasividad inicial. Luego, cuando quisieron reaccionar fue ya tarde.

Aun así, a punto estuvieron de salvar la situación, cuando lograron expulsar a Cortés y su gente de Tenochtitlán, tras un cerco angustioso y unas grandes pérdidas humanas para sus enemigos, y de nuevo un rasgo de fatalismo, muy propio de aquel pueblo, por desgracia para él, lo desbarató todo en el último momento. No se explica de otro modo que, tras la «Noche Triste» de los españoles, en la llanura de Otumba se les diera la gran oportunidad de la victoria a un triste puñado de hombres agotados y malheridos. Por mucha que fuera la estrategia, la buena suerte y la osadía de Cortés, aquella batalla nunca debieron perderla los mexicas, como de hecho nunca la perdieron realmente. Cuando la tenían ganada y el enemigo estaba definitivamente vencido, tuvo que caer su abanderado y perder el estandarte. Eso, en circunstancias normales, en cualquier batalla de esa época, podía tener su importancia, pero nunca tan grande como para sentirse derrotados y, pese a su enorme superioridad, iniciar una retirada desastrosa y permitir, no sólo que el adversario ya vencido se rehiciera, sino que incluso se permitiera el lujo de perseguirles y diezmarles vergonzosamente.

Todo eso decidió la guerra incluso antes del ataque definitivo de los españoles a Tenochtitlán, porque la gran ocasión se había dejado escapar y ya no iba a presentarse otra. Pero, aun así, los aztecas hubieran tenido tal vez su propia y segunda oportunidad, de no mediar otros errores y fallos estratégicos.

Un ejemplo claro lo tenemos en las diferentes maneras de combatir que tenían ambos bandos. Incluso un experto militar como el mariscal Montgomery, héroe británico de la Segunda Guerra Mundial, lo manifiesta así en su obra *Historia del arte de la guerra*. Alude en ella el mariscal, héroe del Alamein, vencedor del mariscal alemán Rommel, al enfrentamiento de españoles y aztecas, resaltando que el factor de las armas y medios de combate fue decisivo en el desenlace de aquel enfrentamiento.

Para él, el hecho de que el armamento español estuviera formado por espadas, armas de fuego y caballos, frente a unos medios rústicos como eran las lanzas, arcos, flechas, hondas, mazas y hachas, fue primordial. Pero eso no era todo.

Existían otras diferencias que podían ser definitivas, como lo relativo a la forma de luchar y a la estrategia de cada bando. Así, mientras la táctica india era siempre de un combate frontal, ignorando las tácticas de ataque oblicuo, los españoles sabían desenvolverse utilizando los flancos y otras formas estratégicas. Ese modo de entender la lucha hacía que los aztecas, al atacar, solamente lo hacían con la primera fila de sus combatientes, hasta ser sustituida por otra, cosa que permitía a una fuerza militar bien disciplinada, como era la española, resistir sin dificultad incluso a miles de adversarios.

Por otro lado, era frecuente entre los mexicas la falta de disciplina en el combate. Muy valorosos y decididos, no poseían en cambio la firmeza disciplinaria de unos hombres como los de Cortés, acostumbrados a un severísimo reglamento impuesto por sus superiores. Soldados habituados a un orden cerrado y una disciplina a toda prueba, no podían tener nada que temer de una tropa indisciplinada y con rudimentarios procedimientos bélicos, como la que se hallaba frente a ellos, y que solamente a causa de su valor temerario y de su espíritu de sacrificio lograron mantenerse firmes durante tanto tiempo ante la superioridad militar de sus invasores.

Pensaban sin duda los jefes militares aztecas que su superioridad númerica, realmente aplastante, iba a resultar decisiva en aquella guerra, sin pararse a pensar que otros factores compensaban tal diferencia sobradamente.

Por otro lado, estaban habituados a emplear demasiado tiempo en preparar la guerra, ya que sus costumbres les hacían celebrar toda clase de ritos religiosos antes de lanzarse al combate, dado que la religión formaba parte de todo lo que era su vida y tenía la máxima importancia en todo, incluso en el guerrear. También debían reclutar sus soldados y prepararles, enviar embajadores a otros pueblos y consultar sus libros sagrados, antes de sentirse debidamente preparados para luchar.

Demasiados preparativos contra una fuerza bien amada, disciplinada y fuerte, por lo que no resulta extraño que, llegado el momento de la lucha, habituados a sus ritos y costumbres de las guerras entre sus pueblos, no supieran bien qué hacer ante las tácticas desarrolladas por los españoles.

Como ya hemos dicho antes, otro factor muy a tener en cuenta fue la visión militar de Cortés, que, habiendo previsto todas las contingencias ante de lanzarse a la ofensiva final, hizo construir en Tlaxcala aquellos trece barcos que tan decisivo papel iban a jugar en la batalla, sorprendiendo así a los aztecas en una operación anfibia nunca vista por ellos. Hay que tener en cuenta que, frente a sus sencillas canoas, aquellos bergantines medían diecisiete metros de eslora y podían desplazarse mediante remos y velas.

Tenían una capacidad de transporte de hasta treinta hombres bien equipados cada uno de ellos, y llevaban como armamento un falconete en su proa. Eran, por tanto, el arma ideal para romper las defensas de Tenochtitlán por el agua y atacar la ciudad desde cualquier punto, dificultando la labor de los sitiados.

Además de todo eso, Cortés contaba bajo su mando con expertos capitanes y hombres de armas, tales como Pedro de Alvarado, Cristóbal de Olid, Alonso de Ávila o Gonzalo de Sandoval, capaces de seguir al pie de la letra sus instrucciones y de obedecer sus órdenes con la máxima disciplina.

Todo esto era demasiado para un ejército habituado, como el azteca, a simples batallas contra sus pueblos vecinos, bien con fines de pura conquista, bien por lo que ellos llamaban «guerra florida» o ritual. A través de la primera de las guerras buscaban ampliar sus territorios y así conseguir mayores tributos. La segunda, en cambio, tenía por objetivo primordial capturar prisioneros enemigos, para poderlos ofrendar en sacrificio a sus dioses, mediante el bárbaro procedimiento de arrancarles en vivo el corazón y ofrecerlo, junto con su sangre, a la divinidad correspondiente.

Todo aquello poco o nada tenía que ver con el tipo de guerra que les presentaban los españoles ahora, y resulta lógico comprender que su preparación para afrontar tal compromiso bélico estaba muy lejos de sus posibilidades. Aun así, fue sin duda su orgullo de raza, su valentía indiscutible y su odio hacia el invasor, que había osado quitarles todas sus creencias y sus rituales, lo que les mantuvo firmes tanto tiempo y les hizo resistir tan enconadamente la ofensiva española. Cierto que ellos, los aztecas, fueron siempre uno de los pueblos más belicosos de América Central, pero no es menos cierto que nunca tuvieron ante sí un enemigo tan bien preparado y armado como el de sus invasores.

Viendo, por otro lado, los gráficos en que se reflejan los movimientos de las tropas españolas, por tierra o por agua, se comprende que aquella compleja estrategia les tomara por sorpresa y lograse desorientar a sus jefes militares. Las rutas seguidas por las flotillas de navíos desde Texcoco hasta Tenochtitlán, unido a las maniobras envolventes de las fuerzas de Sandoval, Alvarado y Olid, cercando toda la gran ciudad azteca, después de haber ocupado puntos clave de su entorno, como Acolman, Tzampanco, Cuatitlán, Tenayuco, Tlacapan, Tacuba, Coyoacán, Xochimilco o Chalco y Cuitlauac, son un perfecto tratado de estrategia militar por sí solas, que justifican al cerco absoluto en que quedaría encerrada Tenochtitlán, cercada así por tierra y por las aguas de la laguna y sus canales, sin salida posible.

El asedio estaba, pues, perfectamente calculado y medido, con un despliegue militar que sorprende por su perfección y por lo bien planificado que estuvo desde sus inicios. Ante ello no queda sino admitir el genio de Cortés en esas lides, que iba a resultar decisivo en el resultado final de la contienda.

Nada pues que reprochar a los desventurados aztecas, que bastante hicieron con frenar a su manera la ofensiva enemiga, logrando aplazar todo lo humanamente posible, y más, la victoria de sus enemigos. Aquí, sin duda, entra en juego el factor de su propia determinación, su heroicidad ante las circunstancias adversas, su arrogancia y su orgullo, su valor sin límites, que les llevaba a morir sin una sola queja, asombrando a los propios españoles con su heroísmo sin límites.

Tal vez por ello, cuanto Tenochtitlán fue ya suya, Cortés y los hombres a su mando mantuvieron hacia los vencidos una especie de respeto y admiración, que se refleja en los escritos del hidalgo extremeño, quien, en recompensa por sus méritos en aquella campaña, sería nombrado en 1522 gobernador y capitán general del reino de Nueva España, nombramiento que hizo personalmente el propio emperador Carlos V.

Pero, como veremos en su momento, no todo iba a ser honor y éxitos para el vencedor de aquella sangrienta guerra en territorio mexicano. A Cortés le aguardaba también, en el futuro, su propio castigo a tanta arrogancia y vandalismo como utilizó durante la conquista.

Tal vez porque, en el fondo, el español nunca se comportó del todo noblemente con quienes le acogieron como un distinguido huésped, y tal vez también porque un hombre sobre todos, un rey llamado Moctezuma, clamaba de alguna manera justicia, si no venganza, desde su sepulcro en el que fuera un día magnificente Imperio azteca.

Capítulo V

— Cuauhtémoc, el último azteca —

YA hemos visto cómo a Moctezuma sucedió en el trono un familiar suyo llamado Cuitlahuac, cuyo reinado fue sumamente breve, a causa de la epidemia de viruela traída por los españoles a las tierras mexicas.

A su vez, Cuitlahuac dejaría el trono a un sobrino de Moctezuma, de nombre Cuauhtémoc, destinado a ser el último emperador de los aztecas, ya que con él se extinguiría la estirpe de los emperadores de aquella civilización.

Fue él quien organizó la defensa de Tenochtitlán contra los invasores españoles y quien, al final de la misma, fue capturado por sus enemigos a bordo de una de las lanchas donde se refugiaban los supervivientes del sangriento sitio de su ciudad.

La vida del rey fue respetada por los españoles en todo momento, e incluso fue liberado y se le permitió ejercer sus funciones, aunque bajo el control y supervisión de Cortés y de sus capitanes, para evitar cualquier posible incidente. Su encarcelamiento, terminada la conquista de la ciudad, fue breve, y en todo instante fue tratado conforme a su condición de rey, por orden expresa de Cortés, no se sabe si por respeto a su persona, por humanidad o porque sintiera cierto arrepentimiento interior por la suerte que corriera en su día el emperador Moctezuma por culpa suya.

Aparentemente, Cuauhtémoc parecía aceptar de forma resignada su actual suerte, así como la de su pueblo, sometido sin remedio a los españoles, y se mantuvo con dignidad en su puesto, asistiendo pasivamente al dominio de sus vencedores. Cierto que Cortés, como veremos más adelante, no se resignaba a ver Tenochtitlán en el estado lamentable en que quedara tras la batalla, con sus edificios, calles y plazas convertidos en pura ruina, y se dedicaba con entusiasmo a reconstruir la gran urbe azteca, cosa que no podía sino complacer al joven rey, que veía cómo piedra a piedra se iba rehaciendo su ciudad, recuperando parte de su pasado esplendor.

Aunque bien cierto era el dolor que sentía al ver de nuevo a sus dioses derribados o destruidos, para ser sustituidos por imágenes de la religión de aquellos dominadores extranjeros, pero ni él ni su pueblo podían hacer nada por remediarlo, ya que eran los vencidos y debían acatar la voluntad del vencedor, como ocurre siempre.

La figura de Cuauhtémoc hay que tener en cuenta que, en el ámbito de su pueblo, alcanzaba niveles realmente supremos, lo mismo que la de cualquier otro rey azteca, ya que en ella se unían la condición de monarca y jefe político con la de jefe militar en su máxima graduación posible, lo que hacía que, como tal *tlacatechutli* (jefe militar), fuera considerado como la suprema autoridad en todos los órdenes.

Así había sucedido con Moctezuma durante su mandato, y así sucedía ahora con su sobrino, pese a ser derrotado por los extranjeros. Al menos él, de momento, había sido lo bastante fuerte como para enfrentar al enemigo venido de allende los mares, y no haciendo recepciones amistosas ni tratos reverenciales a los extranjeros, como en mala hora hiciera Moctezuma, error que nunca le perdonaron sus súbitos, aun aquellos que reconocían la capacidad militar y las dotes de gran caudillo de su difunto emperador.

Al revés que su tío Moctezuma Xocoyotzin, o Moctezuma II, Cuauhtémoc no rindió pleitesía jamás a los españoles, ni siquiera después de vencido, y se limitó a esperar una oportunidad, fingiendo admitir como inevitable su derrota y como destino inmutable el dominio de su pueblo por aquel adversario llegado de tan lejos.

En el ánimo del joven rey no figuraba precisamente la sumisión, ni los españoles le engañaron nunca con sus buenas palabras y sus menciones de un poderoso señor más allá de los mares, que ahora por viva fuerza era también su señor, por voluntad expresa de Hernán Cortés. Se limitaba a callar, interpretando el papel de monarca dócil, rendido a la evidencia de lo inevitable, pero otra cosa eran sus más ocultos pensamientos, que en nada se parecían a su actitud pasiva y resignada.

Cierto que los vencedores de aquella guerra les inspiraban a los mexicas o pueblo *Culúa*, como Cortés gustaba de designar al pueblo azteca en concreto, un inevitable respeto tras haber tenido que enfrentarse a ellos, tanto en los tiempos en que los españoles eran los sitiados, como cuando luego fueron los sitiadores, pero ese sentimiento respetuoso era también a la vez compartido por otro sentimiento mucho más profundo de odio y sed de venganza.

Sin embargo, sabían que no era tarea fácil alcanzar esa venganza alguna vez, mientras las tropas enemigas, con todo su poderío militar, gobernaran sus tierras y pueblos, y por ello no tenían otra alternativa que someterse al nuevo estado de cosas.

Cuauhtémoc conocía bien los sentimientos de su pueblo vencido, porque esos sentimientos eran los suyos propios. Mas, como ellos, sus súbditos, tenía que ceder y mantenerse pasivo ante ese adversario, confiando en que algún día no lejano las cosas pudieran cambiar de signo para su gente.

Cortés, por su parte, pensando que la actitud del actual rey era la de un prudente mandatario, no pensó en ningún momento en tomar represalias contra él y permitió que siguiera en sus funciones, aunque como nuevo súbdito de Su Majestad Carlos V y controlado por él mismo muy de cerca.

Transcurrió el tiempo en aquel nuevo mundo conquistado por el extremeño, y adherido por su voluntad a la corona española, sin que sucediera nada digno de mención, ya que el resto de las provincias mexicas opuso escasa resistencia a la dominación española, una vez caída Tenochtitlán. Así, todo México cayó bajo el dominio español, y Carlos V mostró su complacencia por el hecho, otorgando los nuevos títulos al español de Medellín, a quien nombró así mismo marqués del Valle de Oaxaca —sin duda en premio a su inesperada victoria en esa decisiva batalla— y capitán general del Mar del Sur, entre otros privilegios.

Cortés mismo relata su interés personal por reconstruir en la medida de lo posible la grandiosidad monumental de la arrasada Tenochtitlán, y de ello hace partícipe a su rey y señor en una de sus misivas:

«... Y asimismo, viendo que la ciudad de Tenochtitlán, que era cosa tan nombrada y que de tanto caso y memoria siempre se ha hecho, parecídonos que en ella era bien poblar, porque estaba toda destruida; y yo repartí los solares a los que se asentaron por vecinos, e hízose nombramiento de alcaldes y regidores en nombre de vuestra majestad, según en sus reinos se acostumbra; y entre tanto que las casas se hacen, acordamos de estar y residir en la ciudad de Cuyoacán, donde al presente estamos.

De cuatro o cinco meses acá, que la dicha ciudad de Tenochtitlán se va reparando, está muy hermosa, y crea vuestra majestad que cada día se irá ennobleciendo en tal manera, que, como antes fue principal y señora de todas estas provincias, que lo será también de aquí en adelante, y se hace y se hará de tal manera que los españoles estén muy fuertes, seguros y muy señores de los naturales, de manera que de ellos en ninguna forma puedan ser ofendidos.»

Como se ve por la palabra del propio extremeño, puso éste buen cuidado en proteger los intereses de su gente española, sin por ello olvidarse de reconstruir aquello que la guerra había masacrado sin piedad. Es muy posible que la reconstrucción distara mucho de alcanzar la magnificencia y esplendor que los aztecas pusieron inicialmente en la construcción de su hermosísima ciudad, pero al menos se intentaban borrar las cicatrices más visibles de la reciente contienda, devolviendo a la hermosa urbe parte de su pasada grandeza. Ya nada sería lo mismo pero, al menos, se paliaba en parte el destrozo sufrido, y eso ya era algo.

Los mexica veían todos esos esfuerzos por devolverles algo de lo que fue suyo con ojos resignados, ya que nada podían hacer por librarse de aquellos nuevos dominadores, y el recuerdo de las calamidades y muertes sufridas por su pueblo estaba demasiado presente aún en sus mentes como para intentar correr nuevas y desesperadas aventuras, abocadas por otro lado al fracaso más absoluto.

Pero el sobrino de Moctezuma no tenía la paciencia de su tío el emperador en cuanto a soportar por mucho tiempo el yugo español sobre sus hombros y los de su pueblo. Transcurrió el tiempo sin que pareciera rebelarse contra aquel estado de cosas, mas en realidad distaba mucho de sentirse resignado a ello.

Por ello, cuando ya habían transcurrido cuatro años del final de la guerra y la rendición de Tenochtitlán, Cuauhtémoc llevó a cabo la que iba a ser su acción más desesperada y suicida, en un intento por cambiar el curso de los acontecimientos.

Transcurría 1525, cuando Cuauhtémoc organizó en secreto un plan para terminar con Hernán Cortés e iniciar una sublevación contra el invasor español. Con varios nobles aztecas, organizó un complot destinado a asesinar al extremeño y llevar el desorden a sus filas, como preludio de la rebelión.

No se sabe cómo, aunque se sospecha de algún mexica que, tal vez involuntariamente, hizo llegar un rumor de lo que se planeaba hasta alguno de los confidentes de Marina, la princesa maya unida a Cortés, quien pasaría de inmediato la información a su amante, lo cierto es que la noticia de la conspiración llegó a oídos del conquistador español.

De inmediato capturó al rey Cuauhtémoc, abortó el complot y tomó la decisión de juzgar al monarca azteca como traidor. Se dio exacta cuenta de que el joven era ahora algo así como el símbolo de la resistencia de los nativos a su poderío y el de España, y no dudó en firmar la sentencia de muerte contra Cuauhtémoc. El rey azteca fue ejecutado por los españoles sin pérdida de tiempo.

Con él moría toda la estirpe de los emperadores de aquella civilización destruida por los extranjeros. Fue el último rey azteca. El último caudillo de Tenochtitlán. El último gran hombre de toda una raza.

Aunque posteriormente un hijo suyo recibiera el nombre cristiano de Diego de Mendoza Austria y Moctezuma —extraño nombre, en verdad—, y Cortés le concediera una encomienda en 1527, más un escudo de armas del emperador Carlos V en 1541, lo cierto es que con Cuauhtémoc había muerto el auténtico espíritu azteca para siempre. Su fallido complot fue su último intento y su último error.

Posteriormente también, transcurridos varios años, el hijo del rey Cuauhtémoc tuvo tres hijos, a los que curiosamente se les impondrían los nombres de Gaspar, Melchor y Baltasar, respectivamente, y de ellos hubo descendencia abundante para mantener viva la estirpe de los Moctezuma.

Pero las cosas ya no eran lo mismo. Aquellos mexica nacían sometidos a nuevas leyes, nuevas creencias y nuevos ritos que nada tenían que ver con los de su pueblo original. El Imperio azteca, el elegido por los dioses según ellos, se había desmoronado por completo para entonces, y de él sólo quedaba el recuerdo de sus gestas, sus estatuas y monumentos —muchos de ellos convertidos en simples ruinas—, y la tradición oral o las inscripciones de sus ancestros, como evocación de algo que fue grande, que pudo haberlo sido mucho más y que al final ya no era nada.

El emperador Moctezuma había escrito, en realidad, esa última página de su mundo y de su pueblo el día mismo en que decidió no combatir a los hombres que venían del mar, tomándolos por enviados de sus dioses.

Moctezuma jamás debió ser tolerante ni pacífico con sus invasores. Nunca debió recibirlos como huéspedes en su propio palacio y en su ciudad. Nunca debió aceptar ser cautivo de su propio huésped, ni tolerar sus órdenes, ni ejercer de intermediario entre aquellos extranjeros y su pueblo. Nunca debió someterse con docilidad a cuanto se le ordenaba.

Pero hizo todo lo contrario de lo que debía hacer. Él, gran guerrero y sacerdote, se negó a plantar batalla y se negó a rechazar la destrucción de sus propios dioses. Se engañó a sí mismo y engañó a su imperio. Un exceso de buena fe y una debilidad inexplicable dieron al traste con todo aquello que estaba en la obligación de defender. No supo hacerlo y selló el destino de los suyos.

Todo lo que siguió luego era ya inevitable. Con la muerte de Cuauhtémoc como último rey azteca, se concluía la historia de toda una civilización. Pero la conclusión venía ya de mucho antes, y no era culpa de Cuauhtémoc, que, cuando menos, fue fiel a su papel de rey y trató de luchar cuanto era posible. Fracasó y perdió la vida en ello, pero eso no era ya su culpa.

Para entonces la suerte estaba echada sin remedio. Su último arranque de rebeldía tiñó de sangre las manos de Cortés, al ordenar la ejecución del prisionero, pero con la ley española en la mano, que era la que regía en aquellos momentos la vida en las tierras mexicas, la pena por traición era la muerte, y a esa ley se atuvo Cortés, aunque sepamos que si llegó tan lejos fue por descabezar de una vez por todas todo conato de rebeldía azteca contra su persona y su sistema de gobierno de las tierras conquistadas.

No obstante, la sombra de Moctezuma iba a planear por mucho tiempo sobre el destino mismo de Cortés, que no se vería libre tan fácilmente de sus propias culpas en aquel genocidio de toda una raza y todo un pueblo.

En realidad, a Cortés no le faltaban los enemigos, al margen de los suyos naturales en México. Dentro de su propia gente había españoles que no le perdonaban su arrogancia ni sus triunfos personales, que tanto realzaban su persona ante el emperador Carlos V.

Así, poco antes de su gran victoria en Tenochtitlán, tuvo que afrontar el extremeño otra conspiración contra su persona, ésta venida de otro español, Diego Velázquez, el gobernador de Cuba, que seguía siendo uno de sus peores enemigos. Le envió a alguien con instrucciones de asesinarle, pero Cortés descubrió también en este caso el complot y él mismo describiría luego a su emperador el desenlace del mismo:

«Estando en la ciudad de Texcoco, antes de que de allí saliese a poner cerco a la de Tenochtitlán, aderezándonos y fortaleciéndonos de lo necesario para el dicho cerco, bien descuidado de lo que por ciertas personas se ordenaba, vino a mí una de aquellas que era en el concierto, e hízome saber cómo ciertos amigos de Diego Velázquez que estaban en mi compañía me tenían ordenada traición para matarme, y que entre ellos habían y tenían elegido capitán y alcalde mayor, alguacil y otros oficiales, y que en todo caso lo remediase, pues veía que, además del escándalo que se seguiría por lo de mi persona, estaba claro que ningún español escaparía viéndonos revueltos a los unos y a los otros; y que para esto no solamente hallaríamos enemigos apercibidos, pero aun los que teníamos por amigos tratarían de acabarnos a todos.

Y luego hice prender a uno, que era el principal agresor, el cual espontáneamente confesó que él había ordenado y concertado con muchas personas, que en su confesión declaró, de prenderme o matarme y tomar la gobernación de la tierra por Diego Velázquez... Vista la confesión de éste, el cual se decía Antonio de Villafañe, que era natural de Zamora, y como se certificó en ella, un alcalde y yo lo condenamos a muerte, lo cual se ejecutó en su persona.

Después acá algunos de esta parcialidad de Diego Velázquez han buscado contra mí muchas asechanzas, y de secreto muchos bullicios y escándalos, en los que me ha convenido tener más aviso de guardarme de ellos que de nuestros enemigos.»

Como se ve, incluso de sus compatriotas surgían acciones peligrosas para la integridad física de Cortés, lo que no era sino un presagio de las muchas enemistades y odios que iba a acumular el conquistador contra su persona, y que andando el tiempo le crearían serios problemas, llegando incluso a alejarle de las tierras que él había conquistado.

Aquel hombre a quien tanta gente odiaría incluso durante siglos, por el simple hecho de haber sido el artífice del fin de toda una raza y de un gran pueblo, y cuya leyenda negra iba a acompañarle mucho tiempo después de su muerte, culpándole de cosas, incluso, que no está muy claro que fueran culpa suya —la muerte de Moctezuma, por ejemplo—, ya iba a conocer en vida lo que eran las envidias y el rencor, cuando no el aborrecimiento puro y duro.

En su propio país, en España, le esperaba primero la gloria de su conquista.

Y después... la caída.

Capítulo VI

— Gloria y caída de Cortés —

Los intentos de asesinato o de prisión de su amigo mortal Diego Velázquez, otrora su protector, fueron el inicio de otras muchas escaramuzas contra la persona del hidalgo extremeño Hernán Cortés, conquistador de todo un imperio y exterminador virtual de toda una raza que fuera orgullo de su tiempo.

Posteriormente, conocería en tierras mexicanas el intento de conspiración y asesinato del rey azteca Cuauhtémoc, del que se libraría milagrosamente, salvando así su vida, para que fuera la del caudillo mexica la que se perdiera en el empeño, por decisión personal del propio Cortés.

Pero eso no iba a ser todo lo negativo que le acompañaría en su vida, pese a toda la gloria acumulada durante las batallas en que saliera vencedor, a partir del momento amargo de la «Noche Triste», en que los aztecas le acosaron y persiguieron casi hasta la muerte, para después revivir en la singular batalla de Otumba, su primer gran triunfo en aquel cúmulo de afortunadas circunstancias que se le iban a presentar a partir de entonces.

La gloria seguía sonriéndole cuando empezó a acumular nombramientos, títulos y honores, y cuando, en 1528, el propio emperador Carlos V lo recibió personalmente, colmándole de honores. Parecía interminable aquella brillante carreta del vencedor de Tenochtitlán, en las lejanas tierras de la Nueva España.

Pero las cosas no iban a ser siempre así, ni tan siquiera para todo un héroe nacional, un hombre que había sido capaz de conquistar un imperio. Después de aquellos momentos triunfales en que su persona acumulaba todos los honores imaginables, iban a venir tiempos mucho más duros y difíciles, en los que el recuerdo de aquellos momentos radiantes iba a parecer como algo soñado y nunca vivido. La buena fortuna del hidalgo extremeño estaba tocando a su fin, justo cuando mayor era el brillo de su gloria personal.

Lo cierto es que, de pronto, empezaron a llegar a las nuevas posesiones españolas funcionarios enviados por el monarca, que si bien inicialmente se limitaron a cumplir las tareas burocráticas encomendadas por la Corona, no tardando mucho empezaron a entremeterse más y más en las atribuciones encomendadas a Cortés, fiscalizando y controlando sus actividades de forma que al extremeño se le empezó a antojar harto sospechosa y nada favorable a su persona.

Pronto fue acusado formalmente de mal gobierno de las nuevas tierras del imperio, surgiendo numerosas voces críticas contra su actitud y comportamiento, tanto en Nueva España como en la propia tierra española.

Ante aquel alud de opiniones adversas y de acusaciones preocupantes, Cortés hubo de viajar a España en 1528, para defenderse personalmente ante el emperador de todos sus detractores. Trató de justificar detalladamente lo correcto de su tarea en las tierras conquistadas, cosa nada fácil dados los graves cargos que contra él se iban levantando en la corte.

Lo cierto es que, al menos en ese sentido, tuvo éxito. Personalmente se explicó ante Carlos V, así como ante los que le acusaban, y logró quedar a salvo su honor y su dignidad, pero estaba irremisiblemente tocado, y a partir de ese momento ya no se le devolvieron de nuevo sus atribuciones de mando en México y perdió todo el poder que hasta entonces ostentara en las regiones que él había conquistado para su rey y señor.

Durante su nueva permanencia en España, se casa en dos ocasiones: la primera con Catalina Juárez y la segunda con Juana de Zúñiga, sobrina del duque de Béjar. Pero su momento de esplendor ha pasado ya definitivamente, y no parece contar con excesiva gratitud por parte de sus compatriotas, que no se sabe si por envidia o por otros motivos se dedican más a criticar su obra que a ensalzarla, y ello va haciendo mella en el ánimo del conquistador.

Pese a todo ello, Cortés acaba regresando a México, entre los años 1530 a 1540, pero ya sin poder alguno ni puesto de mando que ostentar, y se dedica a organizar una serie de expediciones por nuevas tierras. Entre ellas, algunas al golfo de California, si bien en esta tarea es evidente su desánimo actual y la ausencia total de ambiciones que siempre marcaron su vida de conquistador.

Aventurero por naturaleza, el hombre que llegó a ser el más poderoso de las tierras mexicas, ahora es un simple explorador más, al servicio siempre de su patria y de su rey, pero desplazado por las circunstancias de todo elevado cargo o de toda misión de mando y de poder real.

Un poco harto de todo aquello, Cortés regresa a España nuevamente, en 1541, para participar en la expedición que se lleva a cabo con destino a Argel, muy lejos ya de sus afanes de expansión y conquista de las nuevas tierras colonizadas al otro lado del Atlántico.

Es como si la sombra del que fuera su aliado y amigo, y a la vez su cautivo y su víctima, el gran Moctezuma, le persiguiera implacable en todo momento, para recordarle que sus ambiciones de aquellos días no iban a tener los resultados que él esperaba y que, a la larga, todo el poder del mundo no es nada duradero, ni merece la pena llegar al engaño y la traición para alcanzar lo que uno se propone.

Hace ya muchos años por entonces que el emperador azteca reposa en sus tierras mexicas, tras ser engañado por su huésped y amigo, pero es posible que más de una vez Cortés recuerde con añoranza, y acaso con remordimiento en lo más profundo de su corazón, el trato majestuoso que le diera el monarca azteca a su llegada a Tenochtitlán, y el modo artero y taimado con que él utilizó esa amistad para servir a su rey, traicionando con ello la amistad y la generosidad hospitalaria de su egregio anfitrión mexica.

Cuenta Hugh Thomas, el conocido historiador británico, que en 1524 Cortés había llevado su arrogancia y sus alardes de grandeza hasta el extremo de enviar a Carlos V un cañón fundido en plata pura. La plata con que estaba fabricada el arma procedía de Michoacán, y tal cañón fue llamado por el nombre de «el Fénix». En él se había hecho inscribir este verso:

«Aquesta nació sin par,
yo en serviros, sin segundo.
Vos, sin igual en el mundo.»

A tal extremo llegaba no se sabe si la devoción o el afán de agradar Cortés a su rey. Pero la ofrenda, a juicio de muchos personajes españoles, celosos de la preponderancia que estaba tomando el extremeño, se apresuraron a considerarla como extravagante e innecesaria. Dice Hugh Thomas que, si bien «el regalo llegó a España, pronto lo fundieron para quedarse sólo con la plata». Apunta el historiador que «el nombre no carecía de ironía, pues Cortés había establecido en México un impuesto denominado precisamente "el fénix", que abarcaba todo el oro y la plata extraídos en el país americano.»

Añade el historiador inglés que «la palabra que mejor resume las acciones de Cortés es "audacia"; contiene un rastro de imaginación, de impertinencia, y la capacidad de llevar a cabo lo inesperado, cosas que le diferencian del simple valor...».

Viendo su labor entre los años 1519 y 1521, ciertamente, uno no puede por menos de estar de acuerdo con Thomas en ese sentido. La espontaneidad y arrojo del extremeño, así como su buena fortuna, no son fruto de la casualidad, como no lo son sus soluciones ante cualquier imprevisto. No cabe duda de que fue un hombre sorprendente y excepcional, aunque su lado más oscuro quede representado por su ausencia de lealtad a los que confiaban en él, su arrogancia y su codicia, así como la falta de piedad y de comprensión para muchas cosas y personas, empezando por los propios aztecas, de cuyo final y ocaso definitivo no hay otro culpable que él mismo.

Por ello no sorprende que sea un personaje tan controvertido, y que haya despertado a lo largo de su vida tantas admiraciones como odios y rencores. Es natural que aquellos que admiraron y admiran la que fuera esplendorosa civilización azteca, así como los que se consideran justos descendientes de la misma, no puedan ocultar la animosidad que la persona del conquistador les provoca.

Recuérdese que, a fin de cuentas, todos aquellos que tanto le admiraron y halagaron en su primera llegada a Tenochtitlán, en vida de Moctezuma II, empezando por el propio emperador mexica, luego iban a aborrecerle con todas sus fuerzas, aunque a Moctezuma ni siquiera le diera tiempo para manifestar o expresar odio alguno, ya que cayó víctima de los métodos del extremeño por un lado y de sus errores personales por otro.

Pero su pueblo, aunque al principio reaccionó agresiva y hostilmente contra su rey, llegando a apedrearle por su alianza y sometimiento con el español, posteriormente respetó su recuerdo y admitió que Moctezuma, a fin de cuentas, había sido la primera víctima de la doblez de los conquistadores y de la perfidia, sobre todo, del hombre que siempre debió, como mínimo, ser agradecido y leal con quien con tantos honores la recibió.

De todos modos, seguirá siempre la polémica sobre la obra y la persona del único hombre a través del cual hemos llegado a conocer un poco directamente a Moctezuma, el gran emperador destinado a ser el impulsor de su pueblo hacia la cumbre de su grandeza y que, en cambio, por caprichos del destino, iba a ser todo lo contrario, el que precipitaría los acontecimientos, ayudando a desmembrar su imperio y conducirlo al ocaso definitivo.

Aún hoy en día es recordada en todo México, y en realidad en todo el mundo, la figura histórica de Moctezuma II, inmortalizado en mil y una ilustraciones, bien antiguas bien actuales. Uno de los mejores pintores muralistas del mundo, el mexicano Diego Rivera, pintó en una de sus obras una visión de la capital azteca de Tenochtitlán en pleno esplendor, con la figura de su soberano, Moctezuma, rodeado y venerado por su pueblo. El fresco de Rivera es de una belleza cromática incomparable, digna de su autor, y al fondo podemos ver la recreación de la que fuera gran ciudad-estado azteca, sirviendo de marco a la representación de Moctezuma y sus súbditos.

El orgullo del actual pueblo mexicano se inspira mucho en la propia arrogancia de aquellos hombres y mujeres de hace casi cinco siglos, que constituyeron un imperio sorprendente y maravilloso, tal vez demasiado cruel en sus manifestaciones rituales y religiosas, pero con unos conocimientos artísticos, científicos y de todo orden que no pueden sino admirar incluso a las gentes de nuestro tiempo.

Tenochtitlán, su capital, fue sin duda alguna una de las ciudades más bellas del mundo, poseedora de auténticas maravillas arquitectónicas y urbanísticas, capaz de deslumbrar incluso a los conquistadores españoles cuando la avistaron por primera vez. Un pueblo capaz de levantar en aquellos tiempos una ciudad de tal belleza y esplendor era sin duda capaz de todo. Lástima que el implacable viento de los siglos se haya llevado todo eso para siempre, y que solamente el recuerdo, las viejas descripciones o las actuales recreaciones artísticas o mediante la ayuda de ordenadores, pueda permitirnos vislumbrar siquiera un poco de aquel esplendor incomparable.

Si Moctezuma no hubiera sido tan crédulo con los presagios de los dioses, si no hubiera confundido a los extranjeros con enviados celestes, y si hubiera mantenido su conocida fama de gran guerrero y luchador indomable, ¿adónde hubiera llegado el Imperio azteca en su avance incontenible?

Es una pregunta sin respuesta posible, por desgracia para todos. Lo que pudo haber sido y no fue jamás sabremos a qué punto llegaría, de haberse producido. Por ello no nos queda sino dejar que sea nuestra propia imaginación la que trate de encontrar respuestas y, mientras tanto, soñar con lo que conocemos de aquel pasado irrepetible, que un día se truncó con la llegada de unos barcos a las costas mexicanas, en lo que parecía que iba a ser poco más que una rutinaria y simple expedición para explorar nuevas tierras.

De Moctezuma nos queda su imagen, reproducida por miles de artistas, junto a grabados y gráficos de su tiempo, para hacernos una idea de cómo era realmente el gran caudillo religioso y militar de los aztecas. Y su biografía, acaso no tan amplia como uno quisiera, ni tan detallada como permiten otros tiempos como los actuales, pero en la que sí podemos descubrir sus grandes dotes de mando, su capacidad militar y su arrogante poderío como monarca. Dotes todas ellas que, desgraciadamente, no supo ni quiso desarrollar contra los visitantes de más allá del mar, simplemente por dejarse llevar más por sus creencias religiosas que por el sentido común o el recelo.

Pecó de buena fe, y eso sería funesto para él y para su propia obra imperial. Ésa es la lástima. Y eso es lo irremediable ya.

Pero eso sí, como persona, como rey, como hombre íntegro y noble, tenemos al menos un perfecto retrato de Moctezuma, que nunca traicionó a nadie ni fue desleal con persona alguna. Antes al contrario, los demás fueron desleales y traidores con su generosidad y su hospitalidad. Llegado el caso, ni sus enemigos ni tan siguiera sus amigos y vasallos, supieron ver en él todas las virtudes que le adornaban, por lo que suponemos que sus últimas horas en este mundo debieron ser amargas. Muy amargas.

Capítulo VII

— Tenochtitlán, hoy —

NATURALMENTE, es una simple paradoja mencionar el presente de una ciudad que ya no existe desde hace siglos. Todos sabemos bien que allí donde se alzara la ciudad-estado de los aztecas, sobre el lago Texcoco, se alza otra gran urbe, moderna y distinta, la ciudad de México, capital del país.

México D. F. o México es actualmente una inmensa urbe, una auténtica megalópolis, construida precisamente sobre las ruinas de la antigua capital azteca. Es por ello que los restos de Tenochtitlán permanecen ocultos bajo el suelo de la propia capital moderna.

Se dice de ella que es como una Venecia enterrada, en vez de sepultada por las aguas como se prevé y se teme que sea el destino futuro de la bella ciudad italiana. Tenochtitlán, orgullo de una raza, de una civilización y de una época, no existe ya, aunque sepamos que, bajo el asfalto de las vías urbanas de la ciudad de México, siguen aún las antiguas ruinas ocultas, que de vez en cuando dejan escapar alguna pequeña y valiosa parte de sus maravillas, como sucedió con la llamada «Luna rota», la hermosa piedra tallada, encontrada en 1978 por unos operarios de una compañía eléctrica, en el subsuelo de Ciudad de México.

Precisamente ese hallazgo haría que se iniciaran unas excavaciones en la zona, que dieron por resultado encontrar el Templo Mayor de Tenochtitlán, una de sus maravillas más nombradas.

Otro ejemplo es el de la escultura llamada «La madre terrible», que los españoles, atemorizados ante su aspecto realmente inquietante, tras hallarla en 1790, la enterraron bajo el vestíbulo de la Universidad de México, al considerar que lo horripilante de su apariencia podía significar una influencia nefasta para los nativos. Posteriormente, el explorador Alexander Von Humboldt la desenterró, dejándola definitivamente al descubierto.

Ejemplos así hay muchos, pero todos se limitan, desgraciadamente, a pequeñas muestras de aquel esplendor enterrado. No parece tarea sencilla desenterrar toda una gran ciudad, donde ahora se alza otra realmente enorme. La gran obra arquitectónica y urbanística de los aztecas, creada además en las peores y más difíciles circunstancias naturales, ya que ni el terreno ni el lugar se prestaban demasiado a ello, sigue ahí sin duda, reducida a ruinas más o menos conservadas, pero oculta a nuestros ojos, Dios sabe por cuánto tiempo.

Ni siquiera se advierte ya el menor rastro del propio lago de Texcoco, que rodeaba la urbe, y que ahora se halla así mismo bajo los cimientos de Ciudad de México. De ahí la letra de la famosa canción-corrido que menciona «Guadalajara en un llano, México en una laguna». La laguna no se ve, pero está ahí, abajo, como lo está lo que queda de Tenochtitlán.

Ya entonces, los españoles calcularon que en la ciudad azteca debían residir al menos sesenta mil familias, lo que da, aproximadamente, un censo total de más de trescientos mil habitantes, cifra que entonces tan sólo poseía una gran ciudad europea, la de Londres.

Existía en Tenochtitlán una disposición urbanística concreta, inspirada en sus propias creencias; de tal modo la religión de aquel pueblo influía incluso en el urbanismo. Estaba dividida en cuatro sectores muy grandes, lo cual, simbólicamente, tenía su sentido. Recordemos que cuatro eran las eras pasadas del mundo azteca, como cuatro fueron los guías del pueblo mexica durante su peregrinaje en busca de la tierra prometida.

Esos cuatro sectores rodeaban a su vez el considerado centro ritual, instirado en el de Teotihuacán, y que estaba compuesto por una serie de más de sesenta edificios destinados a sus rituales, todos ellos de formas geométricas puras y dispuestos de forma simétrica en un amplio plano cuadrado. Un verdadero prodigio de urbanismo, al servicio de una idea religiosa.

En torno de este recinto sagrado se iban delimitando claramente los barrios o zonas de las distintas clases sociales. Así, por ejemplo, cuanto más alto era el rango social de una familia, tanto más cerca del centro ritual residía, así como mayor era la altura de los edificios que habitaban.

A causa de la presencia del gran lago sobre el que alzaron los mexicas su ciudad, las calles debían alternar su trazado con los canales, forzosos caminos de agua para sus embarcaciones, para lo cual utilizaban en todo momento sus canoas, que servían tanto para transportar personas como toda clase de mercancías. Las calles eran de tierra aplanada, y disponían de trecho en trecho de abundantes zonas ajardinadas que rompían la monotonía arquitectónica y prestaban un poco de color y de sombra a las vías urbanas.

Los españoles, boquiabiertos ante la belleza de aquella ciudad, llegaron a bautizarla como «la Venecia del Nuevo Mundo», no se sabe si por su propio atractivo o por el hecho de estar cruzada así mismo por canales.

Pero para abastecer Tenochtitlán, ésta dependía en todo del exterior, como pronto se comprobó al sitiarla los conquistadores y cerrar los accesos a la llegada de aprovisionamiento de los alrededores de la ciudad sitiada. Para ello, se unía la urbe a otras islas y a tierra firme, más allá del lago de Texcoco, mediante distintas y amplias *calzadas* o caminos en forma de puentes, y también existía un gran acueducto que se cuidaba de recoger las aguas de las laderas de Chapultepec, para que no faltara en la ciudad agua potable en ningún momento.

Como se ve, los aztecas tenían todo bien previsto y resuelto, por lo que su ciudad era realmente perfecta en muchos aspectos, y más teniendo en cuenta la época de la que hablamos. No puede negarse que aquella civilización demostraba su nivel en muchas cosas que aún hoy nos asombran.

El estudio hecho por arqueólogos posteriores, así como por antropólogos, coincide en muchos puntos. Así, ambos suponen que, para los aztecas, sus famosas pirámides poseían significados muy diversos. Se cree que las construyeron atribuyéndolas el sentido de ser como «montañas construidas por el hombre», una especie de imitación de montes sagrados. Además, se cree saber que los aztecas las consideraban construcciones «con vida propia».

A ello contribuye el hecho de que cada rey o gobernante, el *huey tatloani* azteca, estaba facultado para añadir una nueva capa a cada pirámide heredada de su antecesor, con lo que se puede decir que la pirámide jamás se daba por finalizada, y su forma escalonada iba creciendo y creciendo a gusto de cada gobernante.

Aquellas pirámides se consideraban el escenario ideal para todo rito sagrado. Así, en su cima, que desde la base era virtualmente invisible para los espectadores, era donde se solían llevar a cabo los cruentos sacrificios humanos a sus dioses.

La más importante pirámide de Tenochtitlán fue precisamente la hallada en Ciudad de México tras la aparición de la «Luna rota», es decir, el Templo Mayor, que resultara destruido por completo en el período de la conquista española, templo que poseía una particularidad que ningún otro tenía: su cima se hallaba coronada por dos templetes, y no solamente uno como era lo corriente, que tenían acceso por dos escalinatas diferentes.

Hay otro Templo Mayor, de menor tamaño que ése, pero infinitamente mejor conservado, que se halló y restauró en Santa Cecilia de Acatitlán, al noroeste de Ciudad de México.

Existía otra peculiar edificación azteca destinada igualmente a templo, que era la «pirámide circular», una especie de cono que hoy en día se puede encontrar —al menos sus restos— en la estación de metro «Pino Suárez», en Ciudad de México, así como en Calixtlahuaca.

Pero todo esto, naturalmente, no son sino restos de aquel pasado grandioso que nunca más se recuperará y que mantiene sus ruinas sepultadas bajo la urbe moderna, como símbolo viviente de lo que es la vida, el mundo, el tiempo: el pasado se entierra, y el presente se yergue sobre él, suplantándolo. Es ley de vida, evidentemente, aunque resulte injusta y cruel.

También otras civilizaciones han seguido igual suerte a lo largo de los tiempos: Sumeria, Babilonia, Ur, Egipto, Grecia, Roma...

Tenochtitlán, como la Tikal de los mayas o el Machu Pichu de los incas, quedó atrás, si no en el olvido, sí en lo escondido, en lo oculto, en simples despojos de lo que fue. Aquellas joyas arquitectónicas, que aún hoy en día, a medida que son recuperadas por los arqueólogos, llenan de asombro a quien las visita, apenas si dejan ver una ínfima parte de su grandeza, ya que son simples ruinas que surgen aquí o allá, como vestigios de un pasado perdido en la noche de los tiempos.

Nos quedan su artesanía, sus esculturas, sus utensilios a veces, sus monumentos, algún vestigio cultural o artístico, religioso o político, que nos hablan sin voz de lo que fueron aquellos antepasados que, legítimamente, han de llenar de orgullo a los que hoy son sus más o menos directos descendientes.

Por ello estamos seguros de que, pese a que Tenochtitlán haya sido sepultada por lo actual, aunque sus ruinas se hallen escondidas bajo Ciudad de México, poco a poco irán surgiendo más y más restos de aquella ciudad prodigiosa, orgullo de su época, para seguir maravillándonos con las muestras de su pasada grandeza.

Aunque se dice que una especie de capa de olvidos fue la que sepultó realmente a la civilización azteca, y que las ciudades concebidas según las influencias europeas desplazaron para siempre aquellas monumentales obras urbanísticas del que fuera gran imperio, haciendo desaparecer para siempre al llamado Pueblo del Sol, lo cierto es que desde finales del siglo XVIII las excavaciones comenzaron a hacer emerger lo que estaba olvidado y escondido, para que nuestros ojos puedan admirar lo que admiraron en el pasado otros ojos más privilegiados. Aunque solamente sean ruinas, ellas nos hablan claramente del esplendor pretérito. Luego, el poder reconstructor del artista o del programador informático nos devuelve, en parte, la realidad deslumbrante de aquel entonces... o al menos de algo que se le parezca bastante.

Nos tenemos que conformar con recreaciones pictóricas o informáticas, es bien cierto, pero ello nos ayuda a entender mejor lo que fue la realidad, esa realidad que ya no existe, aunque sí existan sus vestigios bajo nuestros propios pies, esperando ser reencontrados y revelados por los investigadores del pasado.

Es así como hemos podido reproducir, al menos aproximadamente, lugares de leyenda como Asiria, Babilonia, Samarcanda, Luxor, Tebas, la antigua Atenas o la imperial Roma. El diseño de un dibujante o de un programador sobre la pantalla de una computadora nos muestra la reconstrucción ideal de una de aquellas ciudades ya desaparecidas para siempre, pero que marcaron un hito en la historia del mundo.

Tenochtitlán no se diferencia en nada de todos esos lugares que hemos mencionado. Sabemos que hoy en día no existe, pero también sabemos cómo fue en realidad, si no exactamente, sí con mucha aproximación a la verdad. Sus ruinas siguen ahí, bajo el suelo que ahora pisamos. Pero su espíritu sigue vivo, y ese mismo espíritu será el que, poco a poco, logre hacer surgir los restos de aquel mundo perdido, descubriéndonos nuevas y emocionantes facetas del pasado, del mágico esplendor de aquella ciudad que asombró a los españoles y fue ejemplo de toda una época y de todo un mundo.

Recordemos cómo el propio Cortés, dolido ante sus ruinas humeantes, tras la conquista de aquella ciudad que durante tanto tiempo y con tanta heroicidad resistiera sus embates, ordenó la reconstrucción de sus calles, plazas, edificios, calzadas y murallas, tratando sin duda de recuperar lo que él mismo consideraba una ciudad hermosísima y sin igual. Tal vez la nueva Tenochtitlán ya no fue la misma que él viera por primera vez cuando Moctezuma le recibió en su entrada como a un enviado de sus dioses. Pero intentó que fuera lo más parecida posible a la Tenochtitlán destruida por la guerra.

Por eso hoy en día resulta absurdo decir qué queda de Tenochtitlán o de la civilización azteca, porque la verdad cruda y desnuda es que no queda nada. Pero hay cosas que nunca pueden morir, al menos en espíritu, y eso es lo que sucede con todo lo que ha desaparecido con el transcurso de los siglos. Su espíritu sigue ahí, bien vivo, recordándonos el pasado ingente de un gran imperio. Sean unas pocas piedras, un fragmento de un monumento en ruinas, una piedra conmemorativa, una imagen o un calendario, un tocado de plumas o una antigua máscara ritual, todo eso nos habla de otro tiempo, de otras gentes y de otra civilización que no es sino raíz y origen de lo que podamos ser en el presente nosotros mismos.

Por ello puede decirse, sin temor a exagerar, que Tenochtitlán sigue existiendo en alguna parte. Como sigue existiendo el alma misma de la cultura azteca.

Como sigue existiendo, sin duda, el espíritu indomable de un hombre que, como Moctezuma, el gran emperador de los mexicas, el caudillo azteca del momento más importante de su raza, se resiste a que su recuerdo y su persona sean olvidados alguna vez.

Pudo cometer errores, pudo obrar equivocadamente en momentos decisivos para él y para su pueblo, pero fue un gran guerrero, un hombre creyente y un gobernante sabio aunque demasiado prudente acaso. Fue también un hombre generoso y noble, por encima de todo, que hizo de su hospitalidad y buena fe bandera de sus acciones, para desgracia suya.

Sólo por eso, Moctezuma merece ser recordado con amor por su pueblo, que es el que ahora procede de aquel otro pueblo altivo, orgulloso y lleno de poder de aquellos tiempos pasados.

Son muchos los misterios que su imperio guarda todavía para nosotros, y que tal vez nunca sepamos, o lleguemos a conocer fragmentariamente, gracias a los antropólogos, los arqueólogos y los historiadores, pero las pocas cosas que de ellos sabemos nos bastan para admirar y respetar a aquella civilización que, al margen de sus crueles ritos religiosos, dejó constancia para futuras generaciones de un nivel cultural asombroso, de conocimientos poco corrientes de muchas artes y ciencias y, sobre todo, la prueba fehaciente de su fe en sí mismos, ya que, desde sus oscuros orígenes como una simple tribu de ignoto pasado, pasó a ser la elegida para dominar el mundo.

Lástima que cien años más tarde, ese pueblo admirable, el llamado Pueblo del Sol, se desmoronase tan espectacularmente ante un adversario que jamás pudo ser previsto ni imaginado por los forjadores de aquel imperio.

Epílogo

— La sombra del pasado —

HEMOS llegado al final de nuestro recorrido por la historia del pueblo azteca, de sus distintos reyes o gobernantes y, sobre todo, de su emperador Moctezuma II, destinado a ser el hombre clave de su pueblo, aquel del que dependió, sin duda, la gloria futura o el desastre definitivo para su imperio.

Desgraciadamente, fue esta última la alternativa que se le presentó, por la serie de razones que hemos ido ofreciendo a lo largo de nuestro relato de aquellos agitados momentos, y que ya no tiene razón de ser volver a analizar o desmenuzar.

Con Moctezuma se llegó a la cumbre de la grandeza azteca, y con Moctezuma se cayó en la sima de la perdición definitiva. En él estuvo uno u otro camino. La fatalidad jugó en su contra, es evidente. Pero la huella que dejó su persona no puede borrarla este o aquel error. A fin de cuentas, la religión era el factor más importante en la vida azteca, y por la religión se dejaron guiar muchos de sus líderes, Moctezuma entre ellos.

Él, que nunca hubiera dudado en enfrentarse con todas sus fuerzas a la expedición de Cortés enviada desde Cuba por Diego Velázquez, y posiblemente la hubiera derrotado en toda línea mucho antes de avistar Tenochtitlán, si obró de otro modo fue por convicciones religiosas difíciles de entender ahora, pero mucho más lógicas y comprensibles en su tiempo.

Hemos intentado exponer los hechos con todo rigor, pero también al margen de partidismos y de visiones parciales de acontecimientos y personajes con ellos relacionados. De igual modo hemos alabado o censurado al propio Moctezuma, como hemos elogiado o criticado a su supuesto «amigo» Cortés, que en definitiva sería el enemigo mortal del pueblo azteca.

Es fácil caer en la demagogia cuando se tratan estos asuntos, y nunca fue esa nuestra intención. Hemos intentado mostrar a los personajes del gran drama histórico como lo que posiblemente fueron en realidad: simples marionetas del destino, manejados unos y otros por fuerzas poderosas, ajenas a sí mismos. ¿Que intervinieron, y mucho, en sus actitudes y reacciones, sus propias debilidades humanas, sus ambiciones, sus defectos o sus virtudes? Eso es obvio, porque la vida siempre ha sido así y la Historia está llena de ejemplos similares.

Habrá en todo detractores y defensores de unos y de otros, pero ésa nunca ha sido nuestra tarea al confeccionar esta obra. No queremos tomar partido, ni nunca lo hemos pretendido. Si así fue en alguna ocasión, habrá sido por propio error o por un enfoque equivocado, absolutamente involuntario. Aceptamos tanto la versión de los defensores de cada uno como de sus detractores, porque tras eso existe siempre un fondo de verdad, al margen de la pasión que uno ponga en ello.

Lo que es evidente, por encima de opiniones y de criterios particulares, es que la sombra del pasado siempre planea, queramos o no, sobre el presente. Lo que fue condiciona en gran parte lo que ahora es, al margen de nuestra propia voluntad.

Y eso es lo que ocurre, como no podía ser por menos, con la historia del pueblo azteca, de su esplendor máximo y de su caída, de su momento de gloria y del de decadencia. Su sombra pesa, y pesa lo suyo, sobre muchos de nosotros. Estemos de uno u otro lado, seamos mexicanos o españoles, pesa esa sombra en nuestras vidas, porque unos y otros fuimos, queramos o no, protagonistas del evento histórico.

Tienen razón los mexicanos en sentirse orgullosos de descender de aquel gran pueblo, injustamente exterminado. Tienen razón los españoles en sentirse orgullosos de Hernán Cortés por su gesta de conquista, al frente de sólo quinientos hombres en una tierra extraña y frente a cientos de miles de adversarios.

Tienen razón, sin duda alguna, los que culpan a Moctezuma del desastre y exoneran a Cortés de toda responsabilidad, como tienen razón también los que defienden la postura humana y noble de Moctezuma y acusan al extremeño de traidor y taimado, aparte de ambicioso y egoísta. Tienen razón, así mismo, los que acusan a ambos, Moctezuma o Cortés, de dejarse cegar por intolerancias religiosas y por integrismo acérrimo.

En suma, no se le pueden negar a nadie esas razones para ver las cosas de uno u otro modo, porque es complejo y harto difícil discernir incluso acontecimientos muy recientes, de modo que ¿cómo va a ser tarea fácil determinar responsabilidades, culpas o errores en personas que vivieron casi quinientos años antes que nosotros, que eran de mundos muy distintos y que por fuerza tenían que reaccionar de un modo que a nosotros hoy en día puede parecernos inexplicable e incluso absurdo?

¿Nos diferenciamos en el fondo tanto de ellos como para convertirnos en sus jueces? ¿Seríamos capaces nosotros, con cinco siglos más de experiencia y conocimientos encima, de obrar de modo radicalmente distinto, llegado el caso? Me temo que no.

Por tanto, respetemos a todos los personajes de nuestro gran drama histórico y démosle a cada uno, si es posible, la dimensión auténtica de su personalidad y de su papel en el que Calderón de la Barca definiría como «el gran teatro del mundo».

Hemos hecho un viaje imaginario a través del tiempo, viviendo los momentos felices de Tenochtitlán y del pueblo azteca; hemos seguido la vida de sus gobernantes, deteniéndonos especialmente en nuestro biografiado, Moctezuma Xocoyotzin o Moctezuma II, y si hemos prestado especial atención también a su adversario, Hernán Cortés, es porque resulta difícil, por no decir imposible, separar a uno de otro cuando se tiene que relatar su historia personal, de tal modo les unió la historia y el propio destino.

Por otro lado, son escasos, casi inexistentes, los documentos aztecas que nos han sido legados, entre otras razones por la ausencia de un alfabeto de caracteres escritos, mientras que Cortés nos legó una serie de cartas a su rey que constituyen, por sí solas, una completa crónica de la conquista, sobre todo si sabemos separar en esos escritos la verdad de la mentira, el hecho cierto de las manipulaciones y falsedades a las que el extremeño era bastante adicto, como ya es sabido, en aquel empeño suyo de barrer casi siempre para casa.

A través de párrafos de esas cartas hemos llegado, incluso, a conocer, mediante un testigo directo, comentarios, frases y discursos del propio Moctezuma, que de otro modo hubiera sido del todo imposible reproducir. Que se ajusten al pie de la letra a la realidad, eso es otro cantar. Pero suponemos que, al menos en todo aquello que no afectaba personalmente al conquistador ni a sus maniobras, la crónica tiene muchas posibilidades de ajustarse a lo que en realidad debió ser.

Por otro lado, ya hemos mencionado que sería Cortés el primero en escribir con caracteres latinos la lengua *náhuatl* o azteca, que jamás antes se había llegado a escribir fonográficamente. Si nunca hubo signos que tuvieran una correspondencia fonética antes de que el español tradujera la lengua de los mexicas, hemos de convenir en que valía la pena dejar constancia de ello, para enriquecer algo más toda la información alusiva a Moctezuma II.

Hemos creído así mismo conveniente resumir del mejor modo posible detalles alusivos a la propia historia, costumbres, ritos y hábitos del pueblo azteca, por ser todo ello algo directamente relacionado con su propio emperador y con su modo de ser y de obrar.

Si al final de este trabajo el lector se siente complacido al menos en parte por todo lo que de los aztecas y de su gobernante más famoso e importante hemos referido, nos sentiremos muy satisfechos, porque no ha sido otro nuestro objetivo.

Hoy en día, cuando de las grandes civilizaciones precolombinas o prehispánicas del continente americano apenas quedan huellas visibles y los mayas, incas y aztecas son simple recuerdo, merece la pena echar la vista atrás y tratar de bucear en la Historia, en las nieblas del tiempo, para tratar de reconstruir lejanos hechos y acontecimientos perdidos en la noche de los siglos; para intentar, cuando menos, comprender lo que sucedió, cómo sucedió y por qué sucedió.

No es tarea fácil nunca, porque siempre habrá alguien que se sentirá insatisfecho con el resultado final, y a ese alguien habremos de pedir humildemente perdón por nuestros errores e imperfecciones, pero hemos intentado ser lo más fieles posibles a la realidad, sin dejarnos cegar por prejuicios ni por visiones parciales de los acontecimientos.

A fin de cuentas, la sombra de ese pasado sigue pesando sobre todos nosotros, nos guste o no. Creemos, por tanto, que vale la pena intentar que esa sombra sea lo menos pesada posible, y sea para nosotros motivo de admiración hacia unos hombres y unos pueblos que labraron su propio futuro como habían labrado su pasado hasta aquel momento: creyendo que hacían lo mejor.

Unos acertaron. Otros, no. Esto no le quita ni le da la razón a ninguno de ellos. En ocasiones fue simple cuestión de suerte o de infortunio. En otras, el destino no cabe duda de que jugó su propia baza decisiva.

Moctezuma no fue afortunado con el destino, eso es evidente. Pero eso creemos que no fue culpa suya. Tal vez por eso, aunque entonces sus súbditos se enfrentaran a él, negándole el apoyo necesario, lo cierto es que en el presente la figura de Moctezuma II es respetada, tanto por su sabiduría como por su capacidad como estratega y soldado y su profundo espíritu religioso, que le llevarían a engrandecer su imperio, ampliar sus fronteras y aumentar el número de pueblos y de vasallos que le rendían pleitesía como gobernante del reino de los aztecas.

Sólo por eso, Moctezuma merece un lugar destacado en la Historia. Y no hay duda de que lo tiene.

ÍNDICE

Tercera parte
Tras la muerte de Moctezuma

TÍTULOS PUBLICADOS EN ESTA COLECCIÓN

SALMA HAYEK
Vicente Fernández

SOR JUANA INÉS DE LA CRUZ
Juan M. Galaviz

JOSÉ VASCONCELOS
Juan Gallardo Muñoz

VICENTE GUERRERO
Jorge Armendariz

GUADALUPE VICTORIA
Francisco Caudet

JORGE NEGRETE
Luis Carlos Buraya

NEZAHUALCOYOTL
Tania Mena

IGNACIO ZARAGOZA
Alfonso Hurtado